Ayuno Intermitente

La guía definitiva de pérdida de peso para combatir la obesidad, quemar grasa, perder peso, activar la autofagia, estar más saludable y vivir más con este método probado.

Tabla de Contenidos

Introducción

Los beneficios identificados por los defensores del ayuno intermitente son extraordinarios. Este enfoque dietético, afirman, puede ayudar a conseguir una pérdida de peso significativa. También reduce los niveles de glucosa en la sangre (por lo tanto, las posibilidades de contraer diabetes de tipo 2), disminuye la presión arterial y reduce significativamente las posibilidades de enfermedades cardíacas o accidentes cerebrovasculares. También puede aumentar potencialmente la duración de la vida al disminuir la aparición de otras enfermedades mortales como el cáncer. Si esto no fuera suficiente, también puede aumentar la energía y mejorar el sueño. Pero, ¿puede hacer todas estas cosas, o es sólo otra dieta de moda?

Definitivamente no es otra moda pasajera. Por el contrario, el concepto de ayuno intermitente ha existido por milenios. La etiqueta puede ser nueva, pero no la práctica. También hay mucha evidencia para apoyar estas asombrosas afirmaciones, pero desde un punto de vista puramente científico, sería engañoso decir que es definitivo, más bien, se puede decir que las evidencias obtenidas hasta ahora apuntan hacia la dirección correcta.

Sin embargo, es consistentemente difícil reunir y presentar evidencia científicamente rigurosa en el campo de la nutrición.

Aunque este libro se centra en la historia, la evidencia, la práctica y los beneficios del ayuno intermitente, explicaré por qué el asesoramiento nutricional a veces pierde de vista la evidencia científica rigurosa.

En esencia, considerando todo el conjunto de evidencias hasta ahora, el caso del ayuno intermitente tiene el potencial de ser convincente, y está respaldado por historias anecdóticas en todo el mundo, incluyendo la mía.

¿Qué es el ayuno intermitente?

El ayuno intermitente es un término general para cualquier plan de alimentación que implique el cambio entre periodos de comida (sin ayunar) y periodos de no comida (en ayunas). Comienza con la suposición normal de que comemos por lo menos tres comidas al día, espaciadas en promedio, en 16 horas. El desayuno es la primera comida, luego el almuerzo y luego la cena. También es bastante normal que muchos de nosotros comamos entre comidas, y estos bocadillos a veces pueden ser más grandes que las comidas mismas. Este patrón de alimentación (llamémoslo "tres comidas al día") se percibe ahora como la norma. Relativamente hablando, no es realmente la norma, sino un hábito bastante nuevo formado en los últimos 100-200 años, y hablaré de ello en la siguiente sección.

El ayuno intermitente interrumpe deliberadamente ese hábito.

El ayuno intermitente viene en diferentes formas y longitudes. Por ejemplo, el enfoque más sencillo del Ayuno Intermitente podría ser saltarse el desayuno. De hecho, escucharás a algunas personas referirse a su régimen particular de Ayuno Intermitente, como saltarse las comidas.

Digamos que eres un individuo que trabaja durante el día y estás en casa por la noche, comes a las 10:00 p.m. y te vas a la cama. Si te salta el desayuno y almuerzas al mediodía, entonces estarías en ayunas porque no habrías comido nada durante 15 horas. Si luego comes a intervalos regulares hasta las 10:00 p.m., cuando vuelves a hacer tu última comida antes de irte a la cama, entonces en el último período de 24 horas, habrás ayunado durante 15 horas y comido (es decir, estando en un estado de no ayuno) durante 11 horas.

Algunos practicantes del Ayuno Intermitente llamarían a esto un enfoque 15:11. Otras características clave del ayuno intermitente son que no tienes que contar necesariamente las calorías, y podrías comer exactamente los mismos volúmenes de comida en tu período de alimentación, pero aun así disfrutar de algunos de los beneficios del ayuno intermitente.

El ayuno intermitente y yo

También tengo la intención de compartir las experiencias e historias, buenas y malas, de las personas que han estado en un régimen de Ayuno Intermitente, sus triunfos y sus errores. ¿Quién mejor para empezar que yo?

Aquí está mi historia (La revelación completa):

Soy un hombre que ha estado luchando con su peso durante varios años. Había llegado al punto en que, el año pasado, mi médico me dijo que estaba a punto de convertirme en un verdadero diabético tipo 2.

Durante las últimas dos o tres décadas, he intentado muchas intervenciones dietéticas: *Vigilantes del peso, El mundo de la del adelgazamiento* y muchas otras. En realidad, he perdido la cuenta. Ninguna de ellas funcionó. De hecho, en muchos casos, mi peso aumentó, haciéndome sentir menos saludable y más deprimido. La mayoría de estas dietas me obligaron a contar las calorías de forma servil, a reducir drásticamente el número de calorías que consumía y a quitar cualquier grasa de mi dieta.

Luego descubrí otro enfoque ejemplificado por la dieta Atkins. En este caso, se trataba menos de cuánto comía y más de lo que comía. En esta dieta, podía comer tanta grasa como quisiera mientras reducía el consumo de carbohidratos, particularmente los que tenían mucha azúcar.

Perdí un poco de peso con casi todo lo que intenté, pero tendía a bajarme del tren muy rápidamente. Lo que noté con la dieta baja en carbohidratos, como la dieta Atkins, es que una vez que empecé, fui capaz de permanecer en ella un poco más, y perdí más peso como consecuencia. Pero mantenerme en ella, a la larga, me fue muy difícil, y una vez que me bajé de ella, volví a aumentar el peso perdido, aunque más lentamente. Y aun así, mi peso subía cada vez más.

Hace nueve meses, descubrí el ayuno intermitente. Siempre he creído firmemente en el principio de entender mis dietas, no sólo lo que tengo que hacer, sino por qué tengo que hacerlo (esto no sólo se aplica a la nutrición, sino a todo). Así que leí todo lo que pude sobre el ayuno intermitente y vi numerosos videos de YouTube en un intento de llegar al fondo de sus fundamentos y principios.

Después de un par de meses de investigación, decidí probarlo. En tres meses, perdí 22 libras. Estaba encantado con el resultado, pero aun así necesitaba perder otras 66 libras para lograr un peso saludable. Sí, realmente había aumentado muchos kilos.

Entonces me golpeó una enfermedad no relacionada con la dieta. Tuve que tomar tiempo libre del trabajo y, por un período de dos semanas, estuve confinado a mi cama. Durante días, no comí nada porque estaba demasiado enfermo, pero luego lo compensé cuando recuperé el apetito.

A medida que me recuperaba, el concepto de ayuno intermitente tuvo que quedar en segundo plano. Cuando me recuperé completamente (y esto fue en un período de seis meses), descubrí que había recuperado seis libras del peso que había perdido. No me disgusté con esto, y decidí esperar un mes más. Lo que noté es que no había vuelto a mis malos hábitos alimenticios y por lo tanto no gané más peso. Era la primera vez para mí.

Volví al ayuno intermitente, pero esta vez, opté por un enfoque ligeramente diferente. Mi primer régimen consistía en ayunar en días alternos, y el segundo consistía en comer todos los días, pero ayunando un número específico de horas durante el día. Más adelante en este libro, repasaré en detalle todos los enfoques disponibles y explicaré con más detalle lo que hice primero, lo que hice segundo y por qué cambié.

Eso fue hace tres meses, y desde entonces, he perdido otras diecisiete libras, haciendo que mi pérdida total de peso sea de 32 libras. Mis niveles de glucosa en la sangre también se han reducido, por lo que ahora se me considera pre diabético en lugar de diabético. Es difícil de explicar los beneficios de esto, pero lo intentaré más adelante en el libro. Además, me he acostumbrado tanto a vivir de esta manera que no considero que sea una dieta. Sólo lo veo como una parte regular de un estilo de vida saludable. Esta es una distinción importante.

Todos tenemos una dieta que consiste en la comida y la bebida que consumimos. Pero cuando pensamos en cambiar lo que comemos (en particular con el fin de perder peso), declaramos que estamos "a dieta" cuando lo que realmente queremos decir es que estamos cambiando lo que comemos, en otras palabras, cambiando nuestra dieta.

De hecho, la opinión de que el Ayuno Intermitente es un cambio de estilo de vida, es una perspectiva mucho más realista y saludable, en lugar de llamarlo dieta, porque teóricamente, todavía se puede comer todo lo que se quiera, solamente en una zona horaria más comprimida.

Estoy seguro de que no le sorprenderá saber que, después de haber disfrutado de una pérdida de peso y de no haber encontrado dificultades para mantener esa pérdida de peso, soy un apasionado defensor del ayuno intermitente.

En este libro, espero compartir algunas de las razones de esa pasión, pero quiero hacerlo compartiendo una mirada detallada de lo que significa el ayuno intermitente, por qué funciona y qué dice la evidencia científica al respecto.

Empezaré con una visión general de los patrones de alimentación a lo largo de los siglos y cómo han cambiado antes de pasar a una historia de intervenciones dietéticas. En particular, pretendo centrarme en los dos enfoques dietéticos más populares. Uno de ellos promueve la reducción de grasas y calorías como medio para perder peso y estar más saludable. Este ha sido el punto de vista predominante durante los últimos cincuenta años y, por lo tanto, la mayoría de las dietas abogan por este enfoque. A continuación, examinaré un enfoque alternativo, que tiene por objeto reducir los niveles de azúcar (en forma de glucosa) en el torrente sanguíneo promoviendo la reducción de los carbohidratos, en particular los azúcares refinados.

Esto es importante porque la historia del ayuno intermitente y su aumento de popularidad en la última década se ha producido como resultado de nuestra visión cambiante de lo que constituye un buen enfoque dietético.

A continuación, hablaré de por qué es tan importante entender la ciencia que hay detrás del ayuno intermitente. Ya me he descrito como alguien que necesita saber cómo y por qué hace las cosas, no sólo lo que necesita hacer. Entender cómo funciona una dieta tiene el potencial de aumentar la adherencia a esa dieta, incluso cuando las cosas se ponen difíciles.

Luego describiré en detalle cómo el ayuno intermitente, puede cambiar tu vida. Veré el papel del ayuno intermitente en la reducción de la insulina, explicando el proceso de cetosis en la quema de grasa, un fenómeno biológico acelerado por el ayuno intermitente.

Luego relacionaré el ayuno intermitente con la autofagia, el principio detrás del cual las células se alimentan de sí mismas dentro del cuerpo. Después de eso, observaré el vínculo del ayuno intermitente con la hormona de crecimiento y el rejuvenecimiento de las células inmunes antes de terminar esa sección, con los detalles de otros beneficios que el ayuno intermitente puede traer.

Luego pasaré por lo que inicialmente parece una desconcertante serie de regímenes de ayuno intermitente. No es tan complejo como parece. Una de las cosas positivas de este tipo de enfoque, es que puedes adaptarlo para que se ajuste a tu propio estilo de vida, y yo estaré revisando estas opciones por ti.

Luego revisaré el ayuno intermitente como parte de un estilo de vida saludable, y finalmente, identificaré alimentos saludables para que los consumas y los que debes evitar si no deseas destruir todos los beneficios obtenidos con el ayuno.

Hay dos cosas finales que quiero decir antes de entrar en el meollo de todo esto.

Primero, una declaración que debería estar en todos los libros sobre dietas o cambios de hábitos alimenticios. Siempre es útil consultar primero a tu médico, y eso es lo que recomiendo. Aunque el ayuno intermitente, cuando se hace correctamente, es seguro, no les hará ningún daño consultar con un experto médico.

En segundo lugar, en casi todos los libros de dietas que he leído (y créanme que han habido decenas), existe una sección que describe la ciencia que hay detrás de cómo funciona la dieta, su impacto en el cuerpo, etc. A continuación, se describen los aspectos prácticos de la dieta en sí, cuándo hacerlo, cómo hacerlo, qué comer, qué no comer, etc.

Invariablemente, los autores declararán al principio que, si el lector no está interesado en la primera sección y en conocer la biología y la ciencia de la dieta, entonces debe sentirse libre de ir directamente a las otras secciones que tratan de los aspectos prácticos de la dieta.

Voy a decir lo contrario. El sentido común sugiere que cuanto más se sepa sobre la intervención dietética, mayores serán las posibilidades de cumplirla y mayores las posibilidades de alcanzar los objetivos de la dieta, ya sea la pérdida de peso, la disminución de la presión sanguínea o cualquiera que sea la razón para ponerse a dieta. Si decides ignorar este consejo, depende de ti, pero si estás aquí porque quieres estar más saludable y perder peso, deberías seguirlo y leer el libro entero.

Capítulo 1: Una breve historia de la dieta moderna

Es alentador señalar que no hay nada nuevo con el ayuno intermitente. De hecho, la historia ha registrado que mientras que la norma ahora, es el modelo de tres comidas al día, nuestros antepasados pasaban gran parte del día en ayunas. Durante miles de años, esta fue la norma. Como cazadores-recolectores, nuestros cuerpos estaban condicionados a períodos de ayuno intercalados con períodos de festines.

La evidencia sugiere que el día se pasaba cazando y recogiendo la comida antes de prepararla para comer, así que las horas de no comer eran parte de la vida. Si un viajero del tiempo, viajara a esas épocas y sugiriera comer tres veces al día, apuesto a que sería recibido con incredulidad. Como resultado de la forma de vida de los cazadores-recolectores, a lo largo de decenas de miles de años, nuestros cuerpos pueden tener que acomodarse a estos períodos de ayuno.

¿Por qué comemos tres comidas al día?

Los nativos americanos eran los arquetípicos cazadores-recolectores y, por lo tanto, no consumían el desayuno, limitando normalmente su alimentación a una pequeña comida a mitad del día y una gran comida por la noche cuando consumían lo que habían cazado.

Sin embargo, los antepasados de los primeros colonos europeos siguieron las pautas de alimentación de sus países de origen y han transmitido más o menos estos hábitos alimenticios a sus descendientes. Pero eso todavía no explica dónde se originó el patrón de tres comidas al día.

Puede que te sorprenda saber que, hasta el siglo XV en Europa, la palabra "desayuno" ni siquiera existía. En la Edad Media, comer por la mañana no se consideraba importante. Normalmente sólo había dos comidas, una pequeña consumida al mediodía y una grande en algún momento de la tarde. Además, el desayuno era considerado en un momento dado por la Iglesia Católica como un acto de glotonería y demasiado indulgente. Sin embargo, en el siglo XVI, los nobles comenzaron a consumir desayunos de diversas formas, y la población en general siguió su ejemplo.

El concepto de desayuno en los Estados Unidos se puso en marcha a finales del siglo XIX, cuando James Caleb Jackson y John Harvey Kellogg inventaron los cereales para el desayuno y empezaron a comercializarlos en gran escala. Una vez que esto sucedió, los representantes de otros productos alimenticios, como el tocino, siguieron el ejemplo e insistieron en la importancia de comer proteínas por la mañana.

En el siglo XX, la comida del desayuno se consagró en las rutinas diarias de la mayoría de la gente, así como la comida estándar del mediodía y la cena. Ahí lo tienes, tres comidas al día, se convirtió en una convención, provocando en América, la virtual erradicación de los patrones de alimentación arraigados en los seres humanos durante decenas de miles de años.

La vida cambia, y no hay nada malo en reemplazar los patrones de comportamiento existentes con otros nuevos si los nuevos patrones son beneficiosos. Sin embargo, el constante pastoreo adaptado por la mayoría de los seres humanos en los últimos dos siglos puede no haber sido beneficioso en absoluto. En particular, durante el último siglo, los niveles de obesidad se han disparado.

No estoy atribuyendo la explosión de la obesidad a comer tres o más comidas al día. Si ese fuera el caso, casi todos los que conozco serían obesos ya que comen tres comidas al día y meriendan entre comidas. Pero no lo son.

Pero nuestra alimentación constante a lo largo del día (ya sea tres comidas diarias o tres comidas, más los refrigerios) ha alterado la forma en que nuestro cuerpo procesa los alimentos y también ha cambiado la forma en que nuestro cuerpo se regula a sí mismo a través de cambios hormonales -hormonas como la insulina, la leptina y la grelina, todas las cuales tienen un impacto sobre cuándo sentimos hambre, cuándo comemos y cómo metabolizamos esos alimentos. No te preocupes si no estás familiarizado con estos términos. Me ocuparé de ellos con mayor detalle más adelante en el libro.

Luego vinieron las dietas

Para que quede claro una vez más, en este contexto, la palabra "dieta" no significa una lista de alimentos que se consumen habitualmente durante el día, que es la definición adecuada. Cuando utilizo la palabra aquí, me refiero a una intervención dietética (un término que también he utilizado en este libro) diseñada principalmente para ayudar a las personas a perder peso.

Es revelador que el concepto de una "dieta" de esta naturaleza no existía hasta hace 200 años atrás. Para facilitar la referencia, de ahora en adelante, usaré la palabra "dieta" para referirme a una intervención dietética, a menos que se indique lo contrario. Además, cuando describa a alguien como "a dieta", significará que está en una de estas "dietas". ¡Esta es también la última vez que pongo entre comillas la palabra dieta!

La primera historia registrada de una dieta popular ocurrió en 1863, cuando un caballero llamado William Banting, produjo un panfleto llamado *Carta sobre la Corpulencia: Dirigida al público,* en el que describía su dramática pérdida de peso usando una dieta baja en carbohidratos y calorías y alta en proteínas.

Desde entonces, ha habido una gran cantidad de dietas de todas las formas y tamaños que se han impuesto al público. Estas dietas tendían a seguir el consenso científico de la época. Antes de las dos guerras mundiales, la mayoría de las dietas promovían las proteínas y las grasas como la forma más saludable de vivir. Fue sólo después de la Segunda Guerra Mundial que surgió una nueva raza de nutricionistas para desafiar estos conceptos. El principal de ellos fue el fisiólogo americano Ancel Keys.

Mucha gente cree que el trabajo que hizo tuvo la mayor influencia en los hábitos alimenticios de los Estados Unidos, y gran parte del mundo occidental. También se ha dicho que su influencia ha causado indirectamente la enorme explosión de obesidad experimentada en el último medio siglo.

En 1958, Keys lanzó lo que se conoció como el Estudio de los Siete Países. Su principal interés era la enfermedad coronaria y el impacto que la dieta podía tener en ella.

Los países del estudio fueron los Estados Unidos, Finlandia, los Países Bajos, Italia, Yugoslavia, Grecia y Japón. A partir de sus conclusiones, Keys afirmó lo siguiente:

1. Los niveles altos de colesterol estaban asociados con las enfermedades cardíacas.

2. La cantidad de grasa saturada en la dieta de una persona contribuye significativamente a los altos niveles de colesterol y, por lo tanto, a las enfermedades cardíacas.

3. Las grasas monoinsaturadas y poliinsaturadas actúan como protección contra las enfermedades del corazón.

En 1970, Keys publicó sus hallazgos. Fue una figura muy influyente en la Organización Panamericana de la Salud y un hombre muy persuasivo.

Como resultado directo de los hallazgos de Keys, el gobierno americano y sus juntas asesoras de salud, actuaron sobre la base de que el colesterol, era la principal causa de las enfermedades cardíacas y que las dietas altas en grasas, particularmente en grasas saturadas, con su supuesta influencia en los niveles de colesterol, contribuían a un aumento de las enfermedades cardíacas. Por eso, desde mediados y finales de los 70, hasta principios del siglo XXI, la mayoría de las dietas se basaron en estos hallazgos.

El problema es que el Estudio de los Siete Países fue fatalmente defectuoso. Resultó que el trabajo de Keys había abarcado 21 países, y había descartado los otros 14 países por ser estadísticamente insignificantes. Sin embargo, algunas décadas más tarde, cuando se realizó el análisis de los datos de los 21 países, la relación entre el colesterol y las enfermedades cardíacas (y, de hecho, la grasa en la dieta y el colesterol) era mucho menos clara.

Para entonces, el daño ya estaba hecho, y la idea de que las enfermedades cardíacas causadas por la grasa (y por lo tanto las dietas bajas en grasa eran más saludables) se había consagrado en la sociedad, y los principios erróneos se trataban menos como una ciencia y más como un culto.

Pero algo inesperado sucedió. Justo cuando este enfoque dietético se absorbió tan fuertemente en nuestros estilos de vida, los niveles de obesidad comenzaron a subir. La gente seguía los consejos de Keys y reducía la grasa y las calorías. Y la gente estaba engordando.

Resumen

• El ayuno intermitente no es nada nuevo. Era la forma predeterminada de comer para nuestros antepasados cazadores/recolectores.

• El modelo de tres comidas al día, se creó a finales del siglo XIX. Antes de eso, comíamos una pequeña comida en el día y una grande en la noche.

• La constante alimentación diaria ha alterado la forma en que digerimos los alimentos. En particular, ha elevado los niveles de glucosa en la sangre.

• El fisiólogo Ancel Keys afirmó haber identificado un vínculo entre el colesterol y la grasa dietética. También afirmó que el exceso de colesterol causaba enfermedades cardíacas. Sus afirmaciones fueron ampliamente aceptadas y promulgadas por todos los principales organismos asesores de salud.

• Como resultado, desde 1970 en adelante, las dietas bajas en grasa se convirtieron en la norma. Pero inesperadamente, los niveles de obesidad, aumentaron dramáticamente.

Comer menos grasa versus comer menos carbohidratos

Sigue leyendo. La siguiente sección trata sobre las dietas bajas en carbohidratos y es la génesis del enfoque del ayuno intermitente.

La idea de comer menos grasa como un enfoque dietético saludable, ha chocado con una teoría que compite con la de que son los carbohidratos los que debemos reducir, no la grasa. La noción de que la grasa es la culpable, es la que ha ganado más terreno en los últimos cincuenta años, y casi todos los organismos gubernamentales de salud todavía advierten sobre los peligros de la grasa. Esto es a pesar de la ausencia de pruebas sólidas.

Hay otra teoría, también sin pruebas, pero tratada con más reverencia que la teoría de que la grasa es dañina. Es la que se conoce como la hipótesis de "calorías entrantes, calorías salientes". La "ciencia" es así: Una caloría es una unidad de medida de la energía, y para sobrevivir, los seres humanos necesitan un número diario específico de calorías como energía para cumplir con las tareas diarias de nuestro cuerpo. Para los hombres, esto se ha identificado como aproximadamente 2.500 calorías; para las mujeres, 2.000. Si un hombre promedio consume 2.500 calorías en su dieta diaria, su peso se mantendrá igual. Si consume más de 2.500 calorías, su peso aumentará; si es menos de 2.500, su peso disminuirá.

De acuerdo con esta lógica, si quieres perder peso, todo lo que tienes que hacer es reducir tu consumo de calorías diarias por debajo de los niveles recomendados, y cuanto más reduzcas tu consumo de calorías, mayor será tu pérdida de peso.

El problema es que no hay evidencia científica que apoye esto, pero se trata como una dura e inmutable verdad. Existe evidencia de que no es el número de calorías que comes lo que tiene mayor influencia sobre tu peso, sino el tipo de comida que comes y de dónde se derivan esas calorías.

Por ejemplo, la tribu Pima de Arizona era cazadora-recolectora, y hasta la década de 1850, tenían abundancia de alimentos y generalmente eran magros. En la década de 1890, debido a la caza excesiva de los nuevos colonos, que agotó la disponibilidad de pescado y caza en la zona, las cosas habían cambiado drásticamente, y el pueblo Pima dependía ahora de las donaciones de alimentos del gobierno para sobrevivir. Según los antropólogos, la dieta de los Pima era escasa y contenía un 50% de azúcar y harina, ambos carbohidratos refinados. Sin embargo, a pesar de la falta de calorías, muchos de ellos eran obesos (Taubes, 2005).

En el siglo XX, varios científicos creían, que el mayor factor que contribuía al aumento de peso, era el número de carbohidratos en la dieta, en particular los carbohidratos refinados como el azúcar. Sostenían que eran los carbohidratos (en particular el impacto del azúcar en la glucosa de la sangre) los que contribuían principalmente al aumento de peso, sobre todo porque interferían en el metabolismo de las grasas.

Las dietas recomendadas en respuesta a esto eran las que relegaban los carbohidratos y promovían un mayor consumo de grasas y proteínas. Uno de los más famosos defensores de esta idea fue el Dr. William Atkins y su famosa dieta Atkins.

Ustedes pueden estar preguntándose. ¿Qué tiene que ver todo esto con el ayuno intermitente? Tiene mucho que ver con esto porque una de las ventajas más significativas de un enfoque de ayuno intermitente es su impacto en los niveles de glucosa en la sangre y las consecuencias del almacenamiento de grasa en el cuerpo. Aparte de la dieta de Atkins, hay muchos más enfoques que tratan el problema del peso desde la perspectiva de los niveles de glucosa en la sangre. El Ayuno Intermitente es uno de ellos.

La dieta de azúcar en la sangre ("azúcar en la sangre" y "glucosa en la sangre" significan lo mismo y son utilizadas indistintamente por los nutricionistas) es otra que establece el concepto de medir la glucosa en la sangre como una herramienta útil para establecer lo que sucederá con el peso en un día determinado. También está la dieta keto, la dieta de los Mares del Sur y muchas más, todas las cuales se centran en la glucosa elevada en la sangre como una causa que contribuye al aumento de peso a expensas del conteo de calorías. Esto es, en general, a donde pertenece la dieta de ayuno intermitente. Uno de sus mayores beneficios es la reducción de los niveles de glucosa en la sangre. Vale la pena pasar un poco de tiempo entendiendo por qué.

Resumen

• La teoría de la pérdida de peso "calorías entrantes, calorías salientes", que afirma que perder peso es el resultado de comer menos calorías de las que quema el cuerpo, también se convirtió en un consejo estándar, a pesar de la falta de evidencia.

• Una teoría alternativa de que los carbohidratos eran la causa principal del aumento de peso existía en contradicción directa con los hallazgos de Ancel Keys.

• Las dietas bajas en carbohidratos se centraron en el papel de la glucosa en la sangre en el metabolismo de las grasas.

El papel de la glucosa y la insulina en la sangre

La forma en que los animales (obviamente incluyendo a los seres humanos) digieren los alimentos, implica procesos complejos dentro del cuerpo. No quiero dedicarle más tiempo del necesario, pero es importante que entiendan lo que ocurre con la comida que comen antes de emprender cualquier cambio en la dieta.

Los alimentos están compuestos por tres elementos diferentes conocidos como macronutrientes, que son la grasa, las proteínas y los carbohidratos. Tanto la grasa como los carbohidratos se utilizan (de diferentes maneras) para proporcionar energía al cuerpo, mientras que los aminoácidos de las proteínas se utilizan para ayudar a reconstruir el tejido y los músculos.

Es la interacción entre los carbohidratos y las grasas donde las cosas se ponen interesantes. Ambas sustancias se utilizan como energía para todas nuestras funciones corporales. Los carbohidratos son los que se usan primero, y el cuerpo los aprovecha una vez que han sido digeridos, convirtiéndolos en una sustancia conocida como glucosa, una forma de azúcar. La glucosa se utiliza para las necesidades energéticas iniciales. Si el número de carbohidratos ingeridos es mayor que la energía requerida, los carbohidratos se descomponen y se almacenan en el hígado como una sustancia conocida como glucógeno. Estos almacenes de glucógeno se convierten más tarde en glucosa y se liberan en el torrente sanguíneo una vez que la glucosa disponible se agota.

Así que, para resumir de forma simplista, los carbohidratos digeridos se convierten en glucosa, que entra en el torrente sanguíneo y luego es transportada por todo el cuerpo para su uso energético. No es tan simple como eso. De hecho, no hay nada simple en absoluto.

Demasiada glucosa en la sangre no es saludable, así que cuando hay un exceso de glucosa, el páncreas bombea insulina para regularla. La insulina es un actor principal en todo esto, y tiene dos efectos principales. En primer lugar, se adhiere a la glucosa para ayudar a transportarla por todo el cuerpo. Su segundo efecto tiene que ver con la grasa o, más precisamente, con el almacenamiento de grasa.

La grasa es la fuente de respaldo para los requerimientos de energía del cuerpo. Necesito enfatizar algo aquí. El hecho de que se utilice como fuente de energía secundaria no la hace más o menos efectiva como un tipo de energía. De hecho, algunos pueden argumentar que es una mejor fuente de energía porque dura más tiempo, y tenemos más de ella almacenada en nuestras células de grasa.

Cuando la grasa es digerida y metabolizada, una de dos cosas le sucede:

1. Se utiliza inmediatamente como una forma de energía si no hay suficientes carbohidratos para convertirla en glucosa.

2. Es arrojada a nuestras células de almacenamiento de grasa (conocidas como tejidos adiposos).

Las células de almacenamiento de grasa no están centradas en un solo lugar. Por consiguiente, el almacenamiento de grasa puede ocurrir en casi cualquier parte del cuerpo. Por eso, cuando alguien tiene sobrepeso, se pueden observar los efectos del almacenamiento de grasa alrededor del vientre, los muslos, las nalgas, la barbilla y la cara, e incluso los brazos y las piernas. Tiende a concentrarse alrededor de la barriga para los hombres y los muslos para las mujeres.

Aquí es donde volvemos al otro efecto que la insulina tiene sobre el cuerpo. Para que la grasa se almacene en las células grasas, necesita ser descompuesta en una estructura celular más simple. Sólo cuando la grasa se descompone puede entrar en las células de grasa para su posterior uso como una forma de energía. Una vez que se recurre a estas células almacenadas, la grasa emerge del tejido adiposo (otro nombre para esto es células de grasa o células de almacenamiento de grasa) y se reformula a sí misma en su estructura original, excepto cuando hay demasiada insulina presente. La insulina de alguna manera impide que la grasa se reformule a sí misma. Esto puede ser por diseño, porque hay carbohidratos en el sistema, elevando los niveles de glucosa en la sangre, y necesitan ser reducidos primero.

Pero hasta que la insulina se disipa, la grasa que se arroja a las células de almacenamiento de grasa queda atrapada porque la insulina impide que se reformule. Sólo es un poco exagerado describir la grasa como prisionera de la insulina.

Y si hay un continuo exceso de insulina en la corriente sanguínea, entonces la grasa queda atrapada perpetuamente. Añadan a esto el hecho biológico de que parece no haber límite a la cantidad de grasa que puede ser almacenada en el cuerpo; por lo tanto, tenemos sobrepeso y obesidad.

Por consiguiente, si la glucosa en la sangre es demasiado alta, el páncreas se ve obligado a producir toda la insulina que necesita para tratarla. Con tanta insulina en el torrente sanguíneo, la grasa tiene que quedarse allí hasta que los niveles de insulina bajen, lo que sólo ocurrirá si los niveles de glucosa en la sangre bajan.

Si eso no es lo suficientemente malo, hay un doble golpe. Nuestros cuerpos no están diseñados para hacer frente a un exceso de insulina, y nuestras células pueden desensibilizarse a ella. Esto se llama resistencia a la insulina, y su opuesto se llama sensibilidad a la insulina. El resultado de la resistencia a la insulina es que deja de tener un efecto reductor en los niveles de glucosa en la sangre.

El pobre y viejo páncreas, al detectar que el nivel de glucosa en la sangre permanece alto, bombea más insulina al torrente sanguíneo, y la insulina tarda aún más tiempo en disiparse. En un círculo vicioso, la grasa queda atrapada durante más tiempo (de hecho, de forma semipermanente), y todo nuestro metabolismo se dispara.

Uno puede llegar a ser resistente a la insulina sin ser clasificado como diabético de tipo 2, pero eventualmente, las señales entre la corriente sanguínea y el páncreas están tan dañadas que el bombeo continuo de insulina en la corriente sanguínea, que (gracias a la resistencia a la insulina) tiene poco o ningún impacto en los niveles de glucosa en la sangre, se convierte en un diagnóstico de diabetes de tipo 2.

Ayuno intermitente y glucosa en sangre

Cuando comes una comida, el proceso de digestión lleva de 8 a 12 horas. La mayor parte del trabajo pesado se realiza tan pronto como los alimentos llegan al estómago y, gradualmente, los recursos necesarios para digerir los alimentos disminuyen a medida que pasa el tiempo.

Incluso si ayunan por solo 12 horas, lo que esencialmente podría significar omitir una comida, los carbohidratos se habrán convertido en glucosa y se distribuirán por el torrente sanguíneo. El glucógeno almacenado en el hígado también se habrá convertido en glucosa y se habrá sometido al mismo proceso, dejando nuestras abundantes reservas de grasa como fuente de energía del cuerpo.

Si tu cuerpo no es resistente a la insulina o incluso levemente resistente a la insulina, en esta etapa, el cuerpo solo extraerá energía de tus reservas de grasa (y las quemará) porque la insulina habrá hecho su trabajo principal de reducir los niveles de glucosa en sangre y el páncreas dejará de bombearlo. Por lo tanto, el ayuno intermitente es una forma de romper el vínculo entre el nivel alto de glucosa en sangre y su interferencia con el metabolismo de las grasas. Es un medio por el cual puede hacer que tu cuerpo queme grasa nuevamente y pierda (no aumente) de peso.

Al considerar la pérdida o ganancia de peso y el consumo de alimentos, vale la pena tener en cuenta las consecuencias de un sistema metabólico que se ve obstaculizado por un exceso de insulina en el torrente sanguíneo.

Resumen

• Los carbohidratos digeridos se convierten en glucosa en la sangre y se transmiten, a través del torrente sanguíneo, alrededor del cuerpo, como fuente de energía.

• La glucosa alta en la sangre no es saludable y, para reducirla, el páncreas segrega insulina.

• Los niveles de glucosa en sangre que son continuamente altos provocan que el páncreas libere un exceso de insulina.

• La insulina evita que la grasa se use como fuente de energía. La grasa está esencialmente atrapada.

• Demasiada insulina también conduce a la resistencia a la insulina, lo que a su vez hace que se libere más insulina, lo que aumenta el problema con la grasa atrapada en las células grasas y conduce a la obesidad.

Diabetes tipo 2

Ningún libro sobre el ayuno intermitente debe publicarse sin detalles de los horrores de la diabetes tipo 2. De hecho, eso debería aplicarse a todos los libros de dietas. Es el elefante en la sala del mundo de la nutrición. Sin embargo, para la mayoría de las personas, es principalmente evitable, a través de nuestras elecciones de alimentos, y para aquellas personas a las que se les ha diagnosticado, es potencialmente reversible, nuevamente a través de las elecciones de alimentos.

La diabetes tipo 2 es una de las principales causas de muerte de la sociedad, pero también es una afección pequeña y astuta que solo te afecta después de 20 a 30 años. Mientras se desarrolla en su cuerpo, es más o menos sin síntomas hasta que no lo es. Si la diabetes matara a las personas a la misma velocidad e impacto dramático que el Ébola o la Peste Negra o el crimen con armas de fuego, aparecería en los titulares y sería tratada como la epidemia en la que se ha convertido.

Pero su camino de destrucción insidioso y de lento movimiento significa que ha permanecido bajo el radar durante demasiado tiempo. Aun así, está catalogada como la séptima causa de muerte en los Estados Unidos, pero esto es de alguna manera engañoso. Cuatro de las otras siete causas más importantes (enfermedad cardíaca, que es la número 1, accidente cerebrovascular, cáncer y Alzheimer) están más presentes en una población de diabéticos tipo 2 que en una población sin diabetes. En otras palabras, la séptima mayor causa de muerte también puede estar implicada en la primera, segunda, tercera y cuarta.

Resumen

• La diabetes tipo 2 ocurre cuando el cuerpo se vuelve resistente a la insulina, y como resultado de esto, se produce glucosa alta en la sangre.

• La glucosa en sangre es otro nombre para el azúcar en la sangre. La glucosa es el subproducto del metabolismo de los carbohidratos.

Cuando se produce diabetes tipo 2, la glucosa en sangre es alta. En algunos casos, se dispara, y esta glucosa en sangre transportada por el torrente sanguíneo actúa como un tipo de sustancia corrosiva para nuestros cuerpos.

Los síntomas, que incluyen aumento de la sed, la necesidad de orinar con más frecuencia, pérdida de peso inexplicable, llagas que tardan mucho en sanar y una sensación de cansancio, aparecen lentamente. La lista de complicaciones de la diabetes se lee como un compendio de miseria. Incluyen lo siguiente:

• enfermedad cardíaca

- ataques

- insuficiencia renal

- ceguera

- insuficiencia hepática

- venas y nervios dañados que conducen a la amputación de extremidades

Es una condición asociada con la obesidad, pero es incorrecto afirmar que es causada por la obesidad.

Más bien, lo que tenemos que mirar es algo llamado síndrome metabólico, una frase acuñada en la década de 1950 que no se usó comúnmente hasta la década de 1970.

El pensamiento actual identifica el síndrome metabólico como un trastorno que involucra la forma en que se usa la energía en el cuerpo (es decir, carbohidratos y grasas) y, lo más importante, un trastorno de la forma en que la energía se almacena en el cuerpo (particularmente la grasa), tal como lo he descrito en la sección sobre glucosa en sangre e insulina.

De hecho, se dice que la base del síndrome metabólico es la resistencia a la insulina. Sin embargo, en general, se clasificaría como que presenta síntomas del síndrome metabólico si presentara tres de las siguientes cinco afecciones médicas:

• niveles altos de glucosa en sangre

• triglicéridos séricos altos (un tipo de grasa que se encuentra en la sangre)

• obesidad de patrón masculino (obesidad que se manifiesta alrededor de la región del abdomen)

• niveles elevados de presión arterial

• niveles bajos de HDL (HDL significa lipoproteínas de alta densidad y también se conoce como colesterol bueno)

Es exacto decir que existe un fuerte vínculo entre la obesidad y la diabetes, pero más exactamente, se podría afirmar que el síndrome metabólico podría ser una causa de obesidad, diabetes, una afección cardíaca, presión arterial alta e incluso hambre.

En general, se acepta que las personas engordan porque comen demasiado. Pero como la obesidad es un síntoma de un sistema metabólico que funciona mal, se podría argumentar que no engorda porque come demasiado; comes demasiado porque estás gordo, volviendo así la explicación generalmente aceptada en tu cabeza. Permítanme explicar esta afirmación.

El cuerpo necesita grasa, y sin ella, todo tipo de disparadores se activan. Si la grasa queda atrapada en sus tejidos adiposos sin ninguna forma de ser liberada y utilizada para obtener energía, constantemente sentirá hambre y sentirá la necesidad de comer. Si su dieta consiste principalmente en carbohidratos que aumentan la glucosa en la sangre, la grasa continuará atrapada y continuará sintiéndose constantemente hambriento. Este es verdaderamente el emperador de los círculos viciosos.

La glucosa en sangre elevada es la clave. Las intervenciones dietéticas (como el ayuno intermitente) que ayudan a reducir los niveles de glucosa en la sangre son, por lo tanto, la clave para perder peso, evitar la diabetes o incluso revertirla (esa es una afirmación extremadamente importante pero que se puede respaldar). Cuando hablemos sobre la variedad de estilos de vida de ayuno intermitente que puede probar, hablaré sobre el que revierte específicamente la diabetes tipo 2.

Datos y cifras de la diabetes (la epidemia sigilosa)

• La diabetes está clasificada como la séptima mayor causa de muerte en los Estados Unidos, pero algunos dicen que esto no se reporta.

• En 2015, más de 30 millones de estadounidenses tenían diabetes, y el 95% de los cuales era diabetes tipo 2.

• Se prevé que esta cifra aumentará a más de 55 millones de personas para 2030.

• En 2015, 85 millones de personas fueron diagnosticadas con pre-diabetes.

• Casi 300,000 personas al año mueren de diabetes o complicaciones relacionadas con la diabetes.

• Las personas con diabetes tipo 2 tienen una vida útil reducida de hasta 10 años.

Pero sabiendo lo que sabemos ahora, una forma fundamental de prolongar la duración de su vida si tiene diabetes es mantener un buen control sobre sus niveles de glucosa en sangre.

Me gustaría detenerme un momento en la figura de los pre-diabéticos. Estas son personas cuyos niveles de glucosa en sangre son más altos que la norma, pero no lo suficientemente altos como para ser clasificados como diabéticos. Pero sus niveles de glucosa en sangre aumentan lentamente hasta convertirse en diabéticos. La mayoría de estas personas ya pueden estar sufriendo de una forma de resistencia a la insulina, y muchas de ellas, como yo, habrán engordado y luchado para quitarla.

Puedes averiguar dónde están tus niveles de glucosa en sangre mediante un análisis de sangre o utilizando una de las muchas máquinas de análisis de glucosa en sangre disponibles en el mercado a un precio razonable.

Los niveles de glucosa en sangre se miden en miligramos por decilitro (mg / dL para abreviar) o milimoles por litro (mmol / L). En general, una lectura normal de glucosa en sangre en ayunas debe ser inferior a 100 mg / dL (5.6 mmol / L). Si su nivel de glucosa en sangre en ayunas oscila entre 100 y 125 mg / dL (5.6 a 6.9 mmol / L), se lo considerará pre-diabético. Si su lectura de glucosa en sangre está por encima de esto de manera constante (es decir, 126 mg / dL o 7 mmol / L), se lo clasificaría como diabético tipo 2.

El número de personas que ahora son pre-diabéticas es simplemente asombroso. No todos desarrollarán diabetes en toda regla, pero muchos lo harán. Si le preocupan sus niveles de glucosa en la sangre, o incluso si no lo está, vale la pena hacerse la prueba. Si eres pre-diabético, ahora tienes una oportunidad de oro para evitar una de las condiciones más desagradables que conoce la humanidad.

Resumen

• Durante el último medio siglo, la sabiduría predominante ha sido que la causa principal de la obesidad es la cantidad de grasa en nuestra dieta y el consumo excesivo de calorías.

• Según los nutricionistas, si comes demasiado de algo (particularmente grasa), engordarías y serías víctima de una de las muchas condiciones asociadas con la obesidad, a saber, enfermedades cardíacas, derrames cerebrales, diabetes tipo 2.

• Una hipótesis alternativa (una que ha existido por más tiempo) sostiene que es un exceso de carbohidratos en la dieta (particularmente azúcares refinados) lo que causa obesidad y todos sus otros males.

• Los carbohidratos hacen esto, elevando los niveles de glucosa en sangre, lo que a su vez libera demasiada insulina en el sistema sanguíneo. Esto afecta el sistema metabólico ya que la grasa queda atrapada en las células grasas, lo que hace que no esté disponible para su uso como fuente de energía.

• Durante las últimas dos décadas, los consejos dietéticos han comenzado a cambiar gradualmente, y las dietas que ayudan a mantener bajos los niveles de glucosa en sangre han ganado fuerza.

• La diabetes tipo 2 es una afección en la que (gracias a la resistencia a la insulina) los niveles de glucosa en sangre están fuera de control. Continuamente, la glucemia alta causa estragos en nuestros sistemas internos, causando amputaciones, ataque cardíaco, accidente cerebrovascular y muerte prematura, por nombrar solo algunos síntomas.

Y aquí es donde volvemos al ayuno intermitente. El ayuno intermitente tiene un impacto casi inmediato en los niveles de glucosa en sangre. Soy consciente de que me he centrado en el tema de los niveles de glucosa en la sangre durante bastante tiempo porque creo que es muy crítico. Ahora es el momento de profundizar en cómo funciona el ayuno intermitente. No solo mejora los niveles de glucosa en la sangre, sino que también funciona en muchas otras facetas biológicas del cuerpo.

Capítulo 2: Ayuno intermitente

La historia de Terry

Tengo 42 años y he sido gerente de un centro de llamadas por unos años. La mayor parte de mi tiempo, lo paso sentado en un escritorio, monitoreando el desempeño en una pantalla. Un día, el ascensor se rompió en el trabajo, y tuve que subir tres tramos de escaleras. Cuando llegué a la cima, estaba sin aliento y sudando. Eso fue suficiente para querer hacer algo al respecto.

Soy un tipo alto, y fornido también. El día que decidí entrar en acción, pesaba 345 libras. Fui a ver a mi doctora para decirle que planeaba hacer algo al respecto, y me hizo algunas pruebas. Fue muy alentadora. Hizo un análisis de algo llamado HbA1c, que es una medida muy precisa de la glucosa en mi torrente sanguíneo, y obtuvo un resultado de 95. Mi doctora me explicó que esto significaba que era pre diabético. Me explicó lo que esto significaba y me habló de la diabetes, y esto me impulsó a tomar más medidas.

Un amigo me hizo practicar el ayuno intermitente y, después de evaluar mis opciones, decidí optar por el plan 18/6. Son dieciocho horas de ayuno y seis horas en las que puedo comer lo que quiera, todos los días.

Sólo me permití comer entre las 2:00 p.m. y las 8:00 p.m., y erradiqué la comida chatarra de mi dieta por completo. Se acabaron las rosquillas. Se acabó el chocolate. Se acabaron los bocadillos azucarados. Pensé que sería difícil dejarlos, y pensé que sería difícil restringir mi comida a una ventana tan pequeña.

Pero conseguí a ambas cosas bastante rápido. Durante los primeros cuatro días, sentí mucha hambre, unas horas antes de que mi ayuno terminara, pero pronto me acostumbré. No suelo desayunar de todas formas. Fue difícil, al menos durante los primeros días. Me sentía con poca energía y tenía que ir al baño más a menudo de lo habitual. Pero las cosas se calmaron bastante rápido, y desde entonces, me he sentido muy bien.

En el primer mes, perdí 16 libras, y en el segundo mes, 11. Esto fue mejor de lo que podría haber soñado, y lo atribuí a la reducción de los bocadillos, así como al ayuno intermitente. Estoy a la mitad del tercer mes y hasta ahora he perdido 6 libras. Me siento fantástico. Tengo un nivel de energía mucho más alto, y estoy encantado de decir que cuando volví al médico, mi lectura de azúcar en la sangre había bajado a 89. Mi médico dijo que era un gran resultado pero que todavía tenía que trabajar en ello. No estoy completamente segura de lo que significan estos números, pero si mi médico dice que son geniales, ¡también estoy contento! Fin.

Una de las cosas que realmente me atrae sobre el ayuno intermitente es su simplicidad. No tienes que contar calorías.

Puedes establecer las horas que más te convengan a ti y a tu estilo de vida. Notarás en la historia de Terry que incluyó una reducción en los refrigerios azucarados y, por lo tanto, redujo su consumo de carbohidratos. Inmediatamente supo que el punto crítico eran los alimentos cargados de azúcar que comía. Algunas personas prefieren un enfoque más científico y cuentan sus carbohidratos diariamente.

Hice un poco de ambos. Comencé registrando mi consumo de carbohidratos, pero después de un par de semanas, descubrí que no era necesario. También probé el enfoque de Terry dejando bastante los carbohidratos, no solo bocadillos azucarados, sino que comía demasiado pan y pasta. Recomiendo encarecidamente este enfoque de reducción de la ingesta de carbohidratos, pero no significa que no puedas comer un plato de pasta de vez en cuando, siempre y cuando sepas lo que estás haciendo.

Ayuno intermitente versus inanición

Cuando hablas con algunas personas sobre el ayuno intermitente, inmediatamente te hacen la pregunta: "¿No es solo morirte de hambre?" No, no lo es, y es una distinción importante.

Hay una gran diferencia entre estar en un estado de hambre y simplemente tener hambre. Por supuesto, en nuestra sociedad, intercambiamos las palabras para que cuando tengamos hambre, podamos describirnos como hambrientos. Del mismo modo, cuando estamos cansados, podríamos describirnos agotados. En realidad, la diferencia entre el cansancio y el agotamiento es muy profunda, y la diferencia entre inanición y el hambre es igualmente amplia.

El ayuno intermitente no se clasifica como una forma de inanición. En primer lugar, cuando comes durante los períodos sin ayuno (siempre que tus elecciones de alimentos sean saludables), puedes comer tanto como desees. Si las personas realmente creen que saltarse una comida (una forma común de ayuno intermitente) es inanición, entonces están atrapados por la falsa idea de que necesitamos de 3 a 6 comidas al día para vivir una vida normal.

La pregunta es esta: ¿comemos un mínimo de tres comidas por día porque nuestros cuerpos tienen una necesidad biológica, o es porque se ha convertido en una norma cultural?

Como ya se mencionó, el hábito del desayuno realmente comenzó a principios del siglo XX. En las primeras décadas de ese siglo, el desayuno fue muy publicitado, y desde la década de 1920 en adelante, el gobierno de los EE. UU. Declaró que el desayuno era la comida más importante del día, un reclamo para el cual, una vez más, no hay evidencia real.

El modelo de tres comidas al día todavía existe hoy, pero apenas. Las unidades familiares son mucho más diversas de lo que solían ser, y los miembros de la familia tienden a abandonar sus casas en diferentes momentos del día. Las personas también tienden a preferir hacer cosas diferentes con su tiempo libre en lugar de sentarse para una gran comida que requiere un tiempo comparablemente largo para prepararse y comer.

Pero aun así, está allí, representado por cientos de programas de televisión y películas. Para que lo sepas, no estoy en contra de comer tres comidas al día, pero ahora lo estoy mirando más desde una perspectiva biológica. Y a partir de nuestro conocimiento actual de nutrición, el modelo de tres comidas al día no tiene mucho sentido.

En consecuencia, si un individuo piensa que está en ayuno, porque se saltea el desayuno, el almuerzo o la cena, lo está mirando desde un paradigma cultural obsoleto. Biológicamente, perder una comida no hará daño. De hecho, si se maneja adecuadamente, hará algo bueno, por eso el ayuno intermitente se ha convertido en un tema tan candente.

Las afirmaciones hechas por los especialistas en marketing en el siglo XX giraron en torno a la idea de que el cuerpo necesitaba sustento regular o "reposición" para funcionar de manera óptima. Pero esta justificación parece haber sido sacada de la nada por un ejecutivo de marketing. Simplemente no es el caso.

En la primera parte del siglo XX, cuando el gobierno de los Estados Unidos promovió el desayuno con tanta fuerza, gran parte de la población, estaba involucrada en trabajos manuales pesados a través de la agricultura o la industria. La gente necesitaba un impulso de energía antes de comenzar, ese era el reclamo. Un desayuno abundante en ese contexto tenía mucho sentido, pero para la mayoría de la población, ya no lo tiene. En resumen, omitir una comida no te hará daño; Te beneficiará. Y ciertamente está a un millón de millas del hambre.

Entonces, ¿qué es el hambre? Según Wikipedia, "el hambre es una deficiencia severa en la ingesta de energía calórica, por debajo del nivel necesario para mantener la vida de un organismo. Es la forma más extrema de desnutrición. En los humanos, el hambre prolongada puede causar daño permanente a los órganos y, eventualmente, la muerte." Wow.

Por lo tanto, la inanición consiste en privarse de la ingesta de energía calórica hasta el punto en que no esté consumiendo suficiente energía para mantener su cuerpo. Para que pueda clasificarse como grave, necesitaría privarse durante un período de tiempo, estirarse durante días, si no semanas. Por ejemplo, claramente hay una gran diferencia entre una huelga de hambre que dura una semana (cuyo resultado final es la muerte) y una reducción significativa de la ingesta de calorías durante una semana, aunque ambas se clasifican como inanición.

De hecho, cuando observamos la dieta estándar de restricción calórica tan popular en las últimas tres o cuatro décadas, las clasificaría como semi-inanición. Como ejemplo, la ingesta diaria recomendada de calorías de un hombre sedentario es de

2500. La forma en que los científicos descubrieron esto es una fuente de debate feroz, y no necesitamos entrar en eso ahora.

Según estas dietas, si ese hombre quisiera perder 2 libras por semana, tendría que reducir su consumo de calorías a 1,500 calorías por día. Esa es una reducción del 40%. Si alguien ha intentado hacer algo como esto, sabrían cuán difícil es, más en unos pocos días. Es inevitablemente una forma de semi-inanición, sin embargo, muchas personas, que deberían saber mejor todavía, afirman con vehemencia que esta es la única forma de perder peso, privándose de calorías independientemente de dónde provienen esas calorías. Las estadísticas sobre la efectividad de estas dietas cuentan la mejor historia de todas.

La tasa de fracaso es del 88%. Ese es el porcentaje de personas que fallan en las dietas de privación de calorías. Estas son personas que no perdieron el peso que querían o perdieron el peso, pero lo volvieron a recuperar en un corto período de tiempo. Por cada 1,000 personas que prueban este tipo de dieta, casi 900 fracasarán. Lo único que es probable que pierdan, es el efectivo que han gastado en la dieta. Y, por supuesto, es una industria multimillonaria. Es una industria que se sostiene a sí misma al tener una tasa de fracaso tan alta, junto con una alta tasa de reincidencia (es decir, personas que siguen probando la dieta nuevamente).

Es por eso, que lo que comemos en un régimen de ayuno intermitente, es tan importante como la cantidad de tiempo que ayunamos.

Mi tío ha sido obeso mórbido durante décadas. Recuerdo haber tenido una conversación con él sobre el tema del peso hace aproximadamente una década. "Deberías probar el enfoque x", dijo. (Fue una de esas dietas que determinaban puntos y pecados. Despojada, era solo otra dieta que restringe las calorías.) "He estado en esto durante diez años", declaró mi tío, y lo juro. Le pregunté cuánto peso había perdido en esos diez años y admitió tímidamente que en realidad había aumentado de peso. "Pero todo depende de mí y de mi falta de fuerza de voluntad. Cuando estoy en ella, pierdo peso. Simplemente no puedo mantenerme en ella".

La industria de adelgazamiento lo tiene todo y en todas direcciones. En primer lugar, vende productos con una tasa de falla de casi el 90%. En segundo lugar, tiene una base de clientes que se convence a sí misma de que no es el producto el que falla, sino la persona que lo usa. No es de extrañar que ganen tanto dinero, y no es de extrañar que la industria esté teniendo dificultades para dejar ir este modelo.

Los episodios de semi-inanición diseñados para ayudar a perder peso están destinados al fracaso en la mayoría de los casos. El cuerpo se apaga, el metabolismo se ralentiza y, para empezar, las personas pierden peso. Por supuesto que sí, pero inicialmente, la disipación de la retención de agua es lo que explica la mayor parte de la pérdida de peso de la primera semana.

Además, en el modo de inanición, el cuerpo no solo consume reservas de grasa sino también masa muscular. En este modo de inanición, el cuerpo se desespera por la nutrición, por lo que cuando las personas suspenden estas dietas, ya sea porque ha sido demasiado difícil o porque han alcanzado un peso objetivo específico, las hormonas en el cuerpo (suponiendo que todavía estamos en un estado de hambre) patean a toda marcha.

En esencia, nuestras hormonas le dicen a nuestros cerebros que le digan a nuestros estómagos, que coman tanto como puedan. Por lo tanto, comemos más de lo que necesitamos, tanto que nos volvemos más pesados de lo que estábamos al comienzo de la dieta, gracias en gran parte a la leptina y la grelina.

Resumen

• Un régimen de Ayuno Intermitente, no es lo mismo que estar en un estado de inanición.

• La inanición se clasifica como privación severa de calorías durante un período prolongado de tiempo.

• Las dietas de restricción calórica tienen una alta tasa de fracaso.

● Por eso es importante comer de manera adecuada y saludable mientras se está en un régimen de Ayuno Intermitente.

● Las dietas de restricción calórica, una vez finalizadas, pueden llevar a comer en exceso, porque el cuerpo todavía piensa que está en modo de inanición y compensa en exceso.

Leptina y Grelina

Nuestros cuerpos son maravillosos, de verdad. Dentro de ellos reside un conjunto de sustancias químicas llamadas hormonas, que envían señales que controlan nuestras acciones, pensamientos y emociones: cuándo dormir (cortisol y melatonina), cuándo amar (dopamina, serotonina), cuándo estar al tanto de peligro (adrenalina, cortisol, noradrenalina), cuándo comer y cuándo dejar de comer (leptina y grelina).

Estas hormonas no son las únicas que intervienen en las actividades mencionadas, pero son las que más asociamos con ellas.

La leptina y la grelina también se conocen como las hormonas del hambre porque influyen en cuándo nos sentimos hambrientos o llenos. Secretada principalmente por las células grasas, la leptina disminuye el apetito. En un cuerpo con funciones metabólicas saludables, la leptina le dice al cerebro, particularmente al hipotálamo, que el cuerpo no necesita más energía. Este mensaje al cerebro disminuye nuestro apetito, y es por eso que también se llama la hormona de la saciedad.

Cuando el hipotálamo recibe estas instrucciones, ya no debe sentir la necesidad de comer. La leptina desempeña otras funciones dentro del cuerpo relacionadas con la fertilidad, la inmunidad y la función cerebral. Sin embargo, su función principal se centra en la regulación de las reservas de energía y grasas.

Entonces, si tienes hambre, debe haber poca o ninguna leptina en el torrente sanguíneo, y cuando estás llegando al punto de saciedad, se produce leptina para frenar el apetito. Pero la obesidad hace que este sistema no esté sincronizado. De la misma manera que nuestros cuerpos pueden desarrollar resistencia a la insulina y, por lo tanto, mantener los niveles de glucosa en la sangre a niveles insalubremente altos, nuestros cuerpos eventualmente también pueden desarrollar resistencia a las señales emitidas por la leptina.

En otras palabras, mientras la leptina todavía se produce, el hipotálamo y otras regiones del cerebro que controlan el apetito, pierden las señales que normalmente transmite. No nos sentimos llenos y, por lo tanto, seguimos comiendo. Las causas de la resistencia a la leptina, aunque aún no están claras, están asociadas con la obesidad y particularmente con la resistencia a la insulina.

Ahí lo tienes, el doble golpe de la resistencia a la leptina, que te hace ignorar que has comido demasiado y la resistencia a la insulina, atrapando tus células grasas para que no obtengas la energía que tu cuerpo necesita.

La grelina tiene un papel tan importante en el apetito como la leptina, pero en lugar de ser secretada por las células grasas, se produce principalmente en el estómago. Esa no es la mayor diferencia. Donde la leptina suprime el apetito, la grelina lo estimula. La grelina es la verdadera hormona del hambre.

La producción de grelina parece estar determinada principalmente por la ingesta de alimentos. En el escenario de "tres comidas al día", cuando el desayuno, el almuerzo y la cena se toman aproximadamente al mismo tiempo, la producción de grelina aumentará justo antes de comer. Ese es un punto importante en el ayuno intermitente. El propio cuerpo aprende a anticipar cuándo se le proporcionará energía (a partir de los alimentos) y, por lo tanto, produce grelina en un momento específico para promover el hambre. Se cree que la grelina es la hormona directamente responsable de los dolores de hambre.

Los estudios también han demostrado que los niveles de grelina aumentan de manera anormal después de las dietas restringidas en calorías, y esto puede ser un factor clave para explicar por qué es difícil mantener la pérdida de peso de estas dietas. Los niveles elevados de grelina conducen a sentimientos de hambre más largos e intensos, lo que lleva a comer en exceso, lo que finalmente conduce al aumento de peso.

Conocer el papel de estas hormonas proporciona una visión significativa de nuestros hábitos alimenticios y es clave para comprender lo que le sucede a nuestros cuerpos cuando perdemos peso. También diferencia el ayuno intermitente del hambre y las dietas de restricción calórica.

Con el ayuno intermitente, es posible, incluso probable, sentir hambre. Pero no es difícil acostumbrarse a tener hambre. Si estoy en ayunas durante 16 horas y siento la sensación de hambre unos 90 minutos antes del final (algo bastante común), lo registro, pero respondo simplemente continuando con mi día y esperando que termine mi período de ayuno.

Claramente, cuanto más tiempo estés en un ayuno, es más probable que se produzca grelina en tu cuerpo y, por lo tanto, es más probable que tus dolores de hambre sean más insistentes. Pero esto no está dañando tu cuerpo porque, una vez que termines tu ayuno, podrás comer lo que quieras dentro de lo razonable.

Si estás en modo de inanición (y en el modo de inanición incluyo aquellas dietas que requieren restricción calórica a largo plazo), los niveles de grelina estarán por las nubes. Una vez que comas, todavía tendrás grelina en tu cuerpo; y cuando estás lleno, menos leptina de lo normal, más hambre, menos saciedad.

Con el ayuno intermitente, no necesitas restringir tus calorías. De hecho, no lo recomendaría. Además, no recomendaría comer en exceso, solo comer de manera normal y saludable. Si haces esto, puedes evitar el ciclo de perder peso y luego recuperarlo. El peso que pierdes por el ayuno intermitente es más sostenible. Yo personalmente puedo dar fe de eso. Después de haber cambiado entre perder peso con una dieta y luego volver a recuperarlo e incluso terminar más pesado que cuando comencé, ha sido maravilloso experimentar una pérdida de peso que permanece en el tiempo.

Resumen

• Parece que el papel de la fuerza de voluntad está potencialmente sobrevalorado cuando se trata de seguir las dietas. Nuestros reguladores hormonales, particularmente leptina y grelina, tienen una fuerte influencia sobre nuestros patrones de alimentación.

• La leptina induce plenitud y la grelina induce al hambre. La interacción entre estas dos hormonas es crítica.

• La obesidad está fuertemente asociada con la resistencia a la leptina, una condición que hace que el cuerpo pierda la señal de que está llena. La resistencia a la leptina parece ir de la mano con la resistencia a la insulina.

- Las dietas de privación de calorías están fuertemente asociadas con la producción de grelina, el inductor del hambre, incluso después de que las dietas hayan terminado. Esto puede explicar por qué tantas personas con estas dietas vuelven a perder peso directamente.

- El ayuno intermitente ayuda a disminuir la resistencia a la insulina y la leptina. No es inanición. De hecho, se recomienda una alimentación saludable normal.

- Se deduce que la producción de leptina y grelina no se ve distorsionada por el régimen de Ayuno Intermitente.

Comprende cómo funciona el ayuno intermitente

Comprender cómo funciona el ayuno intermitente es tan importante como el ayuno intermitente en sí. Cuando te embarcas en una intervención dietética, la mayoría de las personas se entusiasman. Podrían tratar de repasar la ciencia detrás de esto, pero en su afán de comenzar, le echarán un vistazo o lo evitarán por completo. ¿Quién puede culparlos? En la gran cantidad de libros sobre dieta que he leído, casi todos los autores alientan a sus lectores a hacerlo.

Imagina medir tu propia presión arterial. Puedes aprender qué es una lectura saludable y cuándo debes preocuparte por una lectura que sea demasiado alta o demasiado baja. Pero si no sabes qué causa la presión arterial alta, qué significa una lectura de presión arterial y cuáles son las consecuencias de la presión arterial alta o baja, tu interés en ayudarte a tí mismo será limitado.

Conocer los antecedentes del ayuno intermitente y la ciencia detrás de esto te ayuda de varias maneras.

Cuanto más sepas sobre el Ayuno Intermitente, más probabilidades tendrás de seguir el plan. Cuanto mayor sea tu comprensión de cómo se digieren los alimentos, mayor será tu capacidad para comprender el impacto de lo que comes en tu cuerpo.

Una de las razones por las que muchas dietas fallan es porque no se trata solo de cambiar lo que comes. Se trata de descartar hábitos profundamente arraigados y reemplazarlos por otros más saludables. Al cambiar los hábitos antiguos (y esto se aplica a cualquier cambio significativo en tu vida), el cerebro se rebela. Los patrones grabados profundamente están siendo desafiados. Una de las mejores formas de combatir esto es entender exactamente por qué estás haciendo lo que estás haciendo.

Las razones para embarcarse en un cambio en la dieta incluyen reducir el peso y reducir el colesterol, la glucosa en sangre o incluso la presión arterial. Rara vez la trayectoria de estas reducciones es una línea recta. Inevitablemente, habrá variables. Tal vez una semana no pierdas peso o incluso ganes una libra. Esto puede ser desalentador, pero comprender la naturaleza de tu dieta ayudará a evitar querer renunciar.

Una semana de mi régimen, en realidad gané una pequeña cantidad de peso. Había estado en un fin de semana de bodas, y sabiendo que tendría dificultades para cumplir con el período de ayuno, me volví un poco flojo. Comprender esto eliminó cualquier decepción. Yo sabía que iba a pasar. Además, puede apreciar que la pérdida de peso es variable y que es un patrón de pérdida a la baja lo que necesito lograr, que puede incluir una o dos semanas de meseta, incluso ligeros aumentos. O, a veces, las básculas de pesaje más precisas aún varían en la forma en que te pesan. Todo este conocimiento te ayudará a lidiar con los breves períodos en los que no pierdes peso.

En esta sección, he tratado de darte una idea de cómo se encuentra el ayuno intermitente dentro del amplio contexto de la dieta y la digestión y sobre por qué es importante saber cómo y por qué se producen los cambios con la dieta.

Ahora es el momento de ser más específicos y revelar cómo puede cambiar tu cuerpo y brindarte todos esos fabulosos beneficios sobre los que has estado leyendo, el Ayuno Intermitente.

Ahora es un buen momento para hacerse las siguientes preguntas: ¿Por qué te embarcas en este cambio de dieta? ¿Tienes un objetivo final? Si es así, ¿Cuál es? Si no tienes un objetivo final, ¿por qué no?

Ten en cuenta las respuestas a estas preguntas a medida que profundizamos.

Resumen

• Comprender los mecanismos detrás del Ayuno Intermitente es tan importante como embarcarse en el cambio en la dieta.

• Te ayudará a cumplir con tu régimen durante los tiempos difíciles e inevitables, en los que es posible que no experimentes ninguna pérdida de peso.

Capítulo 3: Cómo el ayuno intermitente puede cambiar tu vida

Recordemos a nosotros mismos los beneficios potenciales que puede traer un régimen de ayuno intermitente. El ayuno intermitente puede hacer lo siguiente:

1. *Puede ayudarte a perder peso,* o si no deseas perder peso, puede ayudarte a mantener tu peso.

2. *Puede ayudarte a reducir tus niveles de glucosa en sangre,* lo que te ayuda a quemar grasa como fuente de energía y, por lo tanto, a reducir tu peso. Por supuesto, los niveles más bajos de glucosa en la sangre significan un menor riesgo de diabetes tipo 2.

3. *Puede ayudar a proteger tu corazón* al reducir los niveles de triglicéridos y LDL en la sangre (el colesterol "malo") al tiempo que aumenta los niveles de HDL (el colesterol "bueno").

4. *Puede mejorar la salud de tu cerebro.* La investigación con ratones ha encontrado que el ayuno intermitente reduce la inflamación en el cerebro, y la inflamación tiene vínculos con muchas afecciones cerebrales, como el Alzheimer, la enfermedad de Parkinson y los accidentes cerebrovasculares.

5. *Puede reducir potencialmente el riesgo de cáncer.* Existe un vínculo significativo entre la obesidad y el cáncer, y si dejas de ser obeso a través de la pérdida de peso (gracias a su régimen del Ayuno Intermitente), esto ayuda a reducir tus posibilidades de quedar bajo la sombra de esta condición letal.

6. *Puede aumentar la hormona del crecimiento humano en tu cuerpo.*

7. *Puede reducir drásticamente la grasa visceral de inmediato.* Este es el tipo de grasa dañina que se encuentra en los órganos vitales y alrededor del abdomen. No tiene ningún propósito útil y se ha encontrado que obstaculiza severamente el funcionamiento de esos órganos vitales. Por ejemplo, el exceso de grasa visceral en el páncreas y el hígado está relacionado con la aparición de diabetes tipo 2.

8. *Puede reducir el estrés oxidativo*. Esto tiene que ver con la existencia de radicales libres dentro del cuerpo, moléculas erráticas que reaccionan con tu proteína y tu ADN para dañarlos.

9. *Puede ayudar a reducir la inflamación*. Además de estar implicado en enfermedades neurodegenerativas como el Alzheimer, la ciencia reciente ha implicado fuertemente la inflamación en enfermedades cardíacas y accidentes cerebrovasculares.

10. **_Puede ayudar a eliminar los desechos a nivel celular_**. Este es un proceso conocido como autofagia, y se ha demostrado que ofrece protección contra las principales enfermedades.

11. **_Puede mejorar el funcionamiento de tu cerebro_**. Ya he discutido todas las cosas malas contra las que puede luchar el ayuno intermitente. Pero no solo te protege de las cosas malas, sino que también te ayuda con las cosas buenas. La principal de ellas es que el ayuno intermitente ha demostrado tener un efecto beneficioso sobre la cognición y los tiempos de reacción.

12. **_Puede darte más energía y hacerte sentir mejor_**. La grasa almacenada en los tejidos adiposos es una maravillosa fuente de energía y puede darle un impulso general a las funciones cerebrales y corporales.

13. **_Puede ayudarte a vivir más tiempo._** El ayuno intermitente no solo puede mejorar la calidad de vida, sino que también puede mejorar la duración.

Ahora es el momento de ver más de cerca estos beneficios.

Etapa 1: Reducción de la insulina

Por favor, no pienses en estas etapas como cronológicas. Más bien, todas ellas están sucediendo más o menos simultáneamente. Pero si has leído este libro correctamente, sabrás lo importante que es la insulina en el proceso de sobrepeso y obesidad. Lógicamente, la reducción de la insulina también desempeñará un papel clave en la reducción de tu peso, gracias a su impacto en el metabolismo de la grasa. Por lo tanto, ¿qué mejor lugar para empezar?

Como seres humanos, parece que necesitamos villanos y héroes para dar sentido a nuestras vidas. En particular, nos gusta seleccionar a nuestros villanos y demonizarlos. Esto no es útil.

Toma la grasa. Ya he descrito cómo la grasa en nuestra dieta ha sido incorrectamente identificada como uno de los mayores factores en el aumento de peso y las enfermedades del corazón, hasta el punto de que CBS News publicó un artículo titulado "El eje de la maldad alimenticia: grasa, azúcar y sal".

Creo que parte de la razón de esto se debe a los dobles e incluso triples significados que la palabra "grasa" ha obtenido. Hablamos de grasa como un sustantivo para significar el macronutriente, la sustancia que comemos. Hablamos de la grasa almacenada en nuestro cuerpo, la grasa celular. Y muchos creen erróneamente que la grasa digerida es lo mismo que la grasa celular.

También la usamos como adjetivo y decimos cosas como "No comas eso" o "Vas a engordar". Engordar, ese es el enemigo, y al enmarcarlo de esta manera, implica que la grasa en sí misma es la culpable, no el metabolismo defectuoso dentro de nuestros cuerpos.

La grasa es una sustancia natural y saludable. Nuestros cuerpos la han utilizado como fuente de energía durante decenas de miles de años. Ha existido durante millones de años y siempre estará ahí. Y todas estas recientes distinciones (según los estándares biológicos) entre grasas buenas y grasas malas es una pista falsa, ya que no hay pruebas tangibles de que las grasas saturadas sean más insalubres que las monoinsaturadas o poliinsaturadas.

Cuando se trata de la obesidad y todas las enfermedades que la acompañan, es tan poco útil describir la grasa como el villano de la pieza como lo es describir a los carbohidratos como el culpable, a pesar de que tiene un impacto diferente y significativo en los niveles de glucosa en la sangre.

Y ahora llegamos a la insulina. Para los defensores de una dieta baja en carbohidratos, que reduce la glucosa en la sangre, la insulina es vista como la culpable. Este chivo expiatorio está igual de equivocado. Los niveles normales de insulina juegan un papel vital para mantenernos sanos.

La regulación de la glucosa en sangre dentro del cuerpo puede verse como un fenómeno homeostático. Eso significa que está biológicamente regulada dentro del propio cuerpo.

Cuando la glucosa de la sangre se eleva, el páncreas produce insulina, lo que reduce la glucosa de la sangre a niveles saludables. Lo hace ayudando a transportar la glucosa alrededor del cuerpo para que se queme como energía, reduciéndola así. Si la glucosa de la sangre baja demasiado, el páncreas libera una hormona llamada glucagón. El glucagón va directamente al hígado, que luego libera la glucosa que ha almacenado en sus células (en forma de glucógeno), aumentando así los niveles de glucosa en la sangre. Se restablece el equilibrio.

En un individuo sano, este proceso continúa, regulándose continuamente en todo momento. Pero como ya se sabe, demasiada insulina en el torrente sanguíneo interfiere con la quema de grasa como fuente de energía. Gracias a la insulina, la grasa se almacena, pero no puede ser utilizada.

Pero, ¿qué es lo que causa el exceso de insulina en la corriente sanguínea? Son los elevados niveles de glucosa en la sangre debido al consumo excesivo de alimentos durante el día, especialmente de carbohidratos, y sobre todo el azúcar, que tiene gran impacto sobre los niveles de glucosa en sangre.

Los niveles de glucosa en sangre también pueden elevarse debido a los hábitos alimenticios. La mayoría de nosotros, consumimos tres comidas al día y, si se incluyen los refrigerios, más. Independientemente del contenido calórico, cada episodio de comida traerá un aumento en los niveles de glucosa en la sangre. La cantidad depende de la composición de la comida, es decir, de la proporción de grasas, carbohidratos y proteínas.

Todo esto es diferente para los diabéticos de tipo 2. O bien sus células son resistentes a la insulina y el páncreas cree que necesita más insulina de la que realmente necesita, o bien sus células no pueden tomar más insulina. Sin insulina, los niveles de glucosa en la sangre se disparan.

Aquí es donde el ayuno intermitente puede desempeñar un papel fundamental. Toma entre 8 y 12 horas digerir una comida de tamaño razonable. Una vez que se agotan las reservas de glucosa, el cuerpo comienza a quemar grasa. Incluso si usted ayuna sólo durante 12 horas, su cuerpo habrá comenzado a utilizar los depósitos de grasa para obtener energía. Cuanto más tiempo continúe su ayuno y más se agote la glucosa, más baja será su glucosa en la sangre y más grasa quemará. Recuerde, con una glucosa sanguínea baja, el páncreas dejará de secretar insulina en el torrente sanguíneo, y con pocos o ningún nivel de insulina, las células grasas pueden quemarse a voluntad.

Como puede ver, el ayuno intermitente puede contribuir a restablecer el equilibrio de la resistencia a la insulina. Ayuda a mejorar la sensibilidad a la insulina (lo opuesto a la resistencia a la insulina), ayudando a que los niveles de glucosa en la sangre bajen más rápidamente. Con unos niveles de glucosa en sangre más bajos, el cuerpo está preparado para quemar más grasa.

Los beneficios de quemar grasa son obvios, pero hay una dimensión añadida a la quema de grasa en un régimen de ayuno intermitente, y ese es el impacto en la grasa visceral. Cuando se utiliza la grasa como fuente de energía, el primer puerto de escala del cuerpo es nuestra grasa visceral, los trozos de carne poco saludables que han acampado en el hígado, páncreas, corazón, etc. El hecho de que sea el primero en irse es una noticia maravillosa porque la grasa visceral está ahora fuertemente ligada a un hígado y páncreas de bajo rendimiento y especialmente al desarrollo de la diabetes tipo 2.

Resumen

• El ayuno intermitente tiene un efecto beneficioso significativo en la disminución de la cantidad de insulina en el torrente sanguíneo y un efecto beneficioso a largo plazo en la resistencia a la insulina y la sensibilidad a la insulina.

• La insulina ha sido demonizada de manera inexacta por los nutricionistas como la principal razón del aumento de peso y la obesidad.

• La insulina juega un papel vital en la reducción de los niveles de azúcar en la sangre y el transporte de glucosa para las necesidades de energía alrededor del cuerpo.

• Es la sobreproducción de insulina la que causa problemas con el metabolismo de las grasas, y esto es causado por niveles de glucosa en sangre continuamente altos.

Etapa 2: Cetosis y cetosis intensa

Una de las muchas cosas que me gustan del ayuno intermitente es que sus beneficios se derivan de procesos naturales dentro del cuerpo que han sido afinados a lo largo de decenas, si no cientos, de miles de años. No soy una de esas personas que automáticamente piensan que sólo porque algo es natural, es bueno. Los terremotos y los volcanes son naturales. También lo es la hiedra venenosa.

Pero en este caso, recurrir a procesos dentro del cuerpo, que son, por definición, naturales, es fantásticamente beneficioso. Por ejemplo, la forma en que nuestros cuerpos regulan la glucosa en la sangre es uno de esos procesos. También lo es la cetosis.

En esta sección, examinaremos la cetosis en detalle, su definición, sus beneficios para el cuerpo, y el papel que juega el ayuno intermitente para iniciarla.

¿Qué es la cetosis?

Cetosis es un nombre elegante para la quema de grasa. Por supuesto, es mucho más complicado que eso, pero llamarlo quema de grasa es acertado. La cetosis se produce cuando el cuerpo ya no tiene acceso a la glucosa para utilizarla como energía, y esta situación surge cuando los carbohidratos ingeridos han sido digeridos y metabolizados.

La cetosis gira en torno a la producción de cetonas, y las cetonas se producen sólo con la virtual ausencia de insulina. El caballo de batalla de la producción de cetonas es el hígado, que las produce a partir de la grasa almacenada en el cuerpo. En esencia, la grasa se convierte en cetonas, que luego son transportadas por el torrente sanguíneo para ser utilizadas como energía.

De esta información, podemos deducir tres cosas. En primer lugar, que la cetosis no se producirá si los carbohidratos son digeridos y transformados en glucosa. En segundo lugar, que la cetosis (o la quema de grasas) sólo se producirá si la glucosa en la sangre se encuentra en un nivel normal y no elevado, porque los niveles normales no inducen al páncreas a producir insulina. De hecho, los niveles bajos de insulina y la cetosis están inextricablemente vinculados.

En tercer lugar, si se desea quemar más grasa y perder peso, la cetosis es un estado ideal en el que estar. Voy a hacer una pequeña advertencia sobre eso. El cuerpo puede quemar y seguir quemando grasa, aunque no esté en cetosis, pero la cetosis hace que el proceso de quema de grasa se acelere.

¿Cómo saber si estás en cetosis?

La cantidad de cetonas en la sangre es el mayor indicador, y esto se puede evaluar mediante un análisis de sangre, que obviamente es bastante intrusivo. También se pueden determinar los niveles de cetona a través de una prueba de orina o aliento. Cuando está en cetosis, se pueden detectar cetonas en el aliento. De hecho, cambian la forma en que huele el aliento. Le da al aliento un olor distintivo. Además, se pueden encontrar cetonas en la orina, y puedes comprar tiras para evaluar los niveles de cetonas en orina. Estos son algunos otros factores para determinar si estás en cetosis.

1. Pérdida de peso. Este es un indicador clave.

2. Sensación de sed. La cetosis puede hacer que algunas personas sientan más sed, por lo que es importante reponer cualquier pérdida de agua que ocurra en la mayoría de los cambios en la dieta al beber mucha agua y otros líquidos.

3. ***Dolores de cabeza.*** Si bien este es un efecto secundario inicial inconveniente, no dura mucho (entre uno y cinco días) y se asocia principalmente con el consumo de menos azúcar. Una vez que el cuerpo se ajusta, estos dolores de cabeza desaparecen.

4. ***Fatiga.*** Este es otro efecto secundario que no dura mucho tiempo. Esto ocurre porque los carbohidratos proporcionan una explosión de energía inmediata, mientras que la energía cetónica derivada de la grasa es una quemadura más lenta. Una vez más, este síntoma desaparece después de unos días, y lo que generalmente sucede es un aumento en los niveles de energía.

5. ***Estreñimiento leve y diarrea.*** Ambos son síntomas temporales, pero para aliviarlo, coma alimentos ricos en fibra. Este es un buen consejo general.

6. ***Cambios en los patrones de sueño.*** A veces es más difícil quedarse dormido o permanecer dormido. Esto normalmente desaparece en unas pocas semanas.

7. ***Mejora de los niveles de concentración.***

Cetosis Intensa

La cetosis intensa ocurre con una dieta muy baja en carbohidratos. Insisto en que no es necesario estar en este estado para bajar de peso, y ciertamente no es necesario estar en este estado durante el ayuno intermitente.

La cetosis intensa es un estado de cetosis continua durante un período de horas o incluso días. La ventaja de la cetosis intensa, para la pérdida de peso, es que se quema más grasa y se quema constantemente.

Si bien es extremadamente raro, sería negligente de mi parte no mencionar un efecto secundario altamente improbable. Una desventaja es que demasiadas cetonas en el cuerpo pueden causar algo llamado cetoacidosis. Antes de proporcionar una definición, declararé que es extremadamente difícil para una persona con indicadores normales de glucosa en sangre entrar en este estado. El cuerpo es hipereficiente en la eliminación de cetonas a través de la quema de combustible celular o a través del aliento y la orina.

La cetoacidosis ocurre cuando hay demasiadas cetonas en el torrente sanguíneo. Las cetonas se vuelven ácidas y pueden causar coma o incluso la muerte. Suena horrible, y enfatizo absolutamente que lo mencione, de la misma manera que un anestesista podría mencionar la posibilidad de 1 en 10,000 de coma, como resultado de medicamentos anestésicos. Es algo a tener en cuenta, pero no preocuparse. Tan raro como es, las personas que tienen que ser particularmente cautelosas son aquellas con diabetes tipo 1.

También hay tres casos no diabéticos en los que las personas pueden contraer cetoacidosis. En primer lugar, la cetoacidosis causada por el alcoholismo, el hambre crónica o un desequilibrio de la tiroides, particularmente una tiroides hiperactiva. Si ninguna de esas situaciones se aplica a usted, entonces estar en cetosis, incluso la cetosis intensa (a veces conocida como profunda), no será un problema.

Para entrar en un estado de cetosis intensa, sería necesario restringir la ingesta de carbohidratos regularmente a menos del 20% de la ingesta total de alimentos durante al menos una semana, y esa es la base de una dieta de producción de cetonas.

Ayuno intermitente y cetosis

La relación entre el ayuno intermitente y la cetosis es así.

1. El ayuno intermitente se produce durante 12 horas o más.

2. Entre las 8 y 12 horas de ayuno, el cuerpo ya ha empezado a utilizar las reservas de grasa, ya que el suministro de glucosa de los carbohidratos disminuye. Eventualmente, los carbohidratos son completamente digeridos, y no hay más glucosa. El cuerpo entra en cetosis.

3. Entre las 12 horas y cuando termine su ayuno, debería estar en cetosis, ya que está quemando grasa para el uso de energía.

La grasa inicial quemada será grasa visceral, y una vez que se ha ido, otras grasas almacenadas alrededor del cuerpo son explotadas.

4. Cuanto más tiempo ayune, más tiempo permanecerá en estado de cetosis. Si elige un plan que implique ayunar en días alternos, deberá, en sus días de ayuno, estar en estado de cetosis durante al menos 12 de sus horas sin ayunar.

5. Además, si come comidas bajas en carbohidratos cuando rompe el ayuno, tiene la posibilidad de permanecer en la cetosis o salir de ella durante mucho menos tiempo que si eligiera comidas altas en carbohidratos. Por lo tanto, puede aumentar el tiempo de permanencia en la cetosis tomando decisiones sensatas en cuanto a la alimentación.

A riesgo de ser repetitivo, vuelvo a hacer hincapié en dos cosas. Primero, la cetosis es completamente saludable, y las posibilidades de entrar en cetoacidosis para alguien que no es diabético de tipo 1, alcohólico, o en estado de inanición, es infinitamente pequeña. En segundo lugar, no es necesario estar en estado de cetosis para quemar grasa. Es sólo que la cetosis acelera el proceso, que es, después de todo, lo que quieres si quieres perder peso.

Así que una de las grandes ventajas de estar en cetosis es su impacto en tus depósitos de grasa. En otros programas de pérdida de peso, particularmente en aquellos en los que se requiere crear un déficit de calorías, el cuerpo puede recurrir al músculo para obtener energía, así como a la grasa. En consecuencia, estás perdiendo masa muscular, lo que simplemente no quieres hacer, porque te hace físicamente más débil. Con la cetosis, eso no sucede. Con el ayuno intermitente, la consecuencia es la quema de grasa, no el agotamiento de los músculos.

Resumen

• El ayuno intermitente acelera el proceso de que tu cuerpo entre en cetosis, y la cetosis es una forma natural y segura de perder peso más rápidamente. En particular, reduce el almacenamiento de grasa y busca primero la grasa visceral, la grasa más dañina de todas.

• La cetosis es un proceso natural y saludable de quema de grasa. ¡El cuerpo es realmente bueno en eso!

• Hay varios indicadores para saber si estás en cetosis o no, incluidas las cetonas en el aliento o en la orina (puedes comprar tiras para detectar esto) y la pérdida de peso.

• Hay algunos efectos secundarios menos deseables, incluidos dolores de cabeza y fatiga, pero estos son solo a corto plazo.

• Si permaneces en cetosis durante un período prolongado de tiempo (algo llamado cetosis intensa), deberías experimentar una mejor concentración además de perder peso más rápidamente.

• El ayuno intermitente es una forma ideal de entrar en cetosis. Al ayunar, tus reservas de glucosa deben agotarse, incitando al cuerpo a entrar en cetosis para quemar grasa.

• La cetosis no puede ocurrir si los niveles de glucosa en la sangre son altos, porque la insulina requerida para reducirlos, interfiere con la quema de grasa.

Etapa 3: autofagia

Hasta ahora, nos hemos centrado en aspectos del ayuno intermitente que se refieren principalmente a la pérdida de peso. Hay otros beneficios que tienen menos que ver con la pérdida de peso y más con el mantenimiento de la salud de nuestros cuerpos. El primero de ellos es lo que se conoce como autofagia.

¿Qué es la autofagia?

La palabra autofagia proviene del griego y literalmente significa "devorador de sí mismo", una definición espantosa de lo que es un proceso biológico completamente natural y saludable. La definición biológica es el "consumo del propio tejido del cuerpo como un proceso metabólico".

Es el método del cuerpo para limpiar y reparar las células dañadas mientras se regeneran las células sanas más nuevas. La autofagia implica que el cuerpo elimine las células que no se pueden reparar y reciclar. Este proceso dual de reciclaje y limpieza asegura la supervivencia y la adaptación de las células.

En otras palabras, la autofagia es una forma natural y saludable de desintoxicar el cuerpo a nivel celular. También se ha relacionado con antienvejecimiento. De hecho, cuando somos más jóvenes, nuestros cuerpos entran en autofagia mucho más rápido y por más tiempo. Los niveles de autofagia disminuyen y el daño celular que se acumula más rápidamente con la edad. El ayuno intermitente tiene el potencial de revertir esto e inducir la autofagia, independientemente de la edad.

Ahora volvemos a nuestro viejo amigo insulina. Además de su capacidad para desestabilizar el proceso de quema de grasa en nuestros cuerpos, la insulina se ha relacionado con la prevención del proceso de autofagia, por lo que también evita el reciclaje y la limpieza celular.

Como el ayuno intermitente reduce los niveles de glucosa en sangre y, por lo tanto, la insulina en el torrente sanguíneo, también inicia la autofagia, a veces aumentando cinco veces los niveles de autofagia.

De eso se trata realmente el envejecimiento: la acumulación de daño celular, que causa que varias partes de nuestro cuerpo, incluida nuestra piel externa (la epidermis), no funcionen tan bien o aparezcan igual que cuando éramos más jóvenes. Envejecer es duro, y cuanto más envejecemos, menos reciclamos y reparamos las células dañadas.

Como el ayuno intermitente induce la autofagia, es una herramienta ideal para reducir el deterioro de las células. Por lo tanto, se deduce que puede retrasar el proceso de envejecimiento.

Además, debido a que el ayuno intermitente está relacionado con niveles bajos de insulina, una dieta baja en carbohidratos, que ayuda a mantener la insulina a raya, también ayudará con el proceso de autofagia. Por lo tanto, hay muchas ventajas de combinar el ayuno intermitente con un enfoque bajo en carbohidratos.

Resumen

• La autofagia es un proceso que funciona a nivel celular para reparar las células dañadas, eliminar las células que no se pueden reparar y reemplazarlas con células nuevas.

• Los beneficios de la autofagia incluyen una reducción del daño celular, y se ha relacionado con la desaceleración del proceso de envejecimiento.

• La insulina, una vez más, interfiere con la autofagia.

• El ayuno intermitente aumenta significativamente el proceso de autofagia hasta cinco veces, gracias principalmente a su impacto en los niveles de glucosa en la sangre y, por lo tanto, en la secreción de insulina.

Etapa 4: Hormona de crecimiento

¿Qué es la hormona de crecimiento?

La hormona del crecimiento tiene muchos nombres diferentes: somatotropina, GH, hormona del crecimiento humano o HGH. En esta sección, me referiré a ella como hormona de crecimiento o GH.

La hormona del crecimiento se produce y se libera desde una de las glándulas pituitarias situadas cerca del cerebro, en el hipotálamo, situado justo detrás de los ojos. La GH es una sustancia crítica en el crecimiento de los niños. Sin ella, no se convertirían en adultos, pero incluso cuando el crecimiento de la infancia ha terminado, la GH juega un papel crítico en el mantenimiento de la estructura normal del cuerpo y los sistemas metabólicos. En particular, está relacionada con el mantenimiento de nuestros niveles de glucosa en sangre dentro de los parámetros establecidos. Ahora espero que puedan ver por qué es tan importante para su bienestar.

¿Cómo se controla la GH?

La GH no se segrega y bombea continuamente por el cuerpo. Más bien, se activa en un número de pulsos entre cada tres y cinco horas. Este mecanismo de liberación es, a su vez, regulado por otras dos hormonas que se originan en el hipotálamo. La primera es (más bien literalmente) llamada "hormona liberadora de la hormona del crecimiento", y puede que no te sorprenda con un nombre como ese oír que esta hormona activa la glándula pituitaria para liberar GH. Por el contrario, y también proveniente del hipotálamo, la somatostatina, inhibe la liberación de GH.

Demasiado y muy poco

Demasiada GH durante largos períodos de tiempo puede incitar una condición llamada acromegalia. Los síntomas de esto son la hinchazón de las manos y los pies y la alteración de los rasgos faciales. Lo que es más grave, las personas que la padecen también experimentan agrandamiento de los órganos, presión arterial alta, diabetes y enfermedades cardíacas. En los adultos, los casos de sobreproducción de GH son raros.

El aumento de la GH en los niños puede hacer que los huesos largos del cuerpo crezcan demasiado. Esta condición, que da lugar a niños anormalmente altos, se conoce mejor como gigantismo.

En los niños, muy poca GH resulta en un retraso en el crecimiento de los huesos y los órganos. En los adultos, causa letargo, aumento de grasa, debilidad de los músculos y huesos del corazón y riesgo de enfermedades cardíacas.

Cada vez está más claro que la GH juega un papel importante en los adultos, en particular para que su masa ósea y muscular alcance un mejor nivel. También reduce la masa grasa durante la transición de la infancia a la edad adulta.

Además, la GH se ha relacionado con mayores niveles de energía y un aumento de la sensación general de bienestar. Para aquellos que sufren de baja GH y toman suplementos de GH, reportan una disminución casi instantánea de la sensación de cansancio y un aumento de los niveles de energía.

Por lo tanto, cualquier intervención que estimule el crecimiento de la GH sólo puede ser algo bueno. El ayuno intermitente es una de esas intervenciones.

Varios estudios han demostrado que el ayuno intermitente y la semi-inanición aumentan los niveles de GH en el cuerpo. Uno de estos estudios sobre sujetos en estado de inanición, registró un aumento de más del 300% después de tres días de ayuno. La buena noticia es que también se ha demostrado que el ayuno intermitente aumenta los niveles de GH, aunque no a los mismos niveles que la inanición, sino a un grado saludable.

El ayuno intermitente ayuda de un par de maneras con los niveles de GH. En primer lugar, el Ayuno Intermitente, fomenta la quema de grasa y, por lo tanto, la pérdida de peso, y la producción de GH se ve directamente afectada por la cantidad de grasa alrededor del cuerpo. Cuanta menos grasa tenga tu cuerpo almacenada, más GH produce tu glándula pituitaria.

En segundo lugar, volvemos a la insulina de nuevo. Las investigaciones indican que los picos de insulina interrumpen la producción de GH. El ayuno intermitente combinado con un enfoque bajo en carbohidratos estabiliza los niveles de insulina. Los estudios han indicado que los individuos no diabéticos tenían casi cuatro veces más niveles de GH en su cuerpo que aquellos con diabetes tipo 2.

Etapa 5: Rejuvenecimiento de las células inmunitarias

Se ha demostrado que el ayuno intermitente tiene un efecto beneficioso tanto en la calidad como en la cantidad de nuestras células inmunitarias.

¿Qué son las células inmunitarias y cuál es su función? Las células inmunitarias forman parte de nuestro sistema inmunológico; son un grupo de células que trabajan al unísono para combatir las infecciones. Sin ellas, las tasas de mortalidad serían considerablemente más altas. Los resfriados comunes se convertirían rápidamente en infecciones abrumadoras que acortan la vida. Hay dos lados de nuestro sistema inmunológico, el sistema innato y el sistema adaptativo.

El sistema innato está compuesto por piel, mucosas y saliva, así como por células especiales que viajan por todo el cuerpo como guardias de seguridad en la noche en busca de cualquier cosa sospechosa. Estas células tienen receptores que reconocen cualquier cosa que no sea humana, como bacterias, virus u hongos. Cuando se identifican, el papel de una sección de estas células innatas es comer las células invasoras y descomponerlas.

Luego están las células asesinas naturales, que buscan problemas dentro de las células. Se dan cuenta cuando una célula ha sido abrumada por un virus o un cáncer, por ejemplo, y liberan sustancias químicas en un intento de destruir a los intrusos. Otras células se especializan en deshacerse de los parásitos. Luego están las células dendríticas, que buscan cualquier problema cerca de la piel.

La segunda parte de nuestro sistema inmunológico se llama sistema inmunológico adaptativo, que juega un papel más intrincado en la eliminación de los invasores no deseados.

También conocido como el sistema inmunológico adquirido, estas células tienen una memoria. Recuerdan si determinados invasores han estado en el cuerpo antes y, si lo han hecho, responden más plenamente a ellos. Por eso tu tasa de recuperación de un resfriado común u otras infecciones menores es más corta la segunda vez.

Usando tu memoria, el sistema inmunológico adaptativo usa células específicas en un patrón estratégico. La otra diferencia entre el sistema inmune adaptativo y el innato es que el sistema adaptativo es mucho más lento para responder a las amenazas que el sistema innato, el cual está listo para salir en un segundo.

El ayuno intermitente y el sistema inmunológico

El ayuno intermitente puede dar un verdadero impulso a nuestro sistema inmunológico. En la naturaleza, cuando un animal se enferma, tiende a concentrarse no en la comida sino en el descanso y la recuperación. Este instinto de descanso está diseñado para reducir el estrés en los sistemas internos para que el cuerpo pueda concentrarse en la lucha contra la infección. A menos que la enfermedad afecte específicamente el apetito, los seres humanos tienden a tomar la estrategia opuesta y comer en exceso durante los ataques de enfermedad.

El cuerpo sólo tiene un cierto número de recursos energéticos, que desvía a sus funciones primarias de digestión de alimentos, movimiento físico y actividad cerebral. El sistema inmunológico pasa a un segundo plano, en particular cuando se necesitan recursos para una digestión continua.

El ayuno intermitente reduce el número de recursos necesarios para la digestión. Esto no sólo permite desviar más energía al sistema inmunológico, sino que también reduce el número de microorganismos naturales que viven en el intestino. Estos microorganismos tienen una relación con nuestro sistema inmunológico, que los regula, por lo que cuantos menos microorganismos haya en el intestino, más oportunidades tendrá el sistema inmunológico de concentrarse en otras áreas.

Además, el ayuno intermitente controla las dos principales citoquinas: el factor de necrosis tumoral colón-alfa y la interleucina-6. Ambas no son tan malas como parecen, pero lo que hacen es incitar la inflamación en el cuerpo, y eso es malo para la salud de cualquiera. El Ayuno Intermitente, reduce su presencia.

Otros beneficios del ayuno intermitente

El poder de tu cerebro

La autofagia aporta beneficios reales al funcionamiento de nuestros cerebros. Los estudios han demostrado que la autofagia inducida por la velocidad, causa cambios neurológicos dentro del cerebro que conducen a funciones cognitivas más altas y a la capacidad de ser más resistente a los estímulos del estrés. Además, hay pruebas de que la autofagia aumenta el crecimiento de las neuronas, y estos chicos malos realmente ayudan a aprender cosas nuevas y a formar nuevos recuerdos.

Los estudios en cuestión se llevaron a cabo en el Laboratorio de Neurociencia del Instituto Nacional del Envejecimiento, y el jefe del estudio fue su profesor jefe, Mark Mattson, que también es profesor de neurociencia en la Universidad John Hopkins.

Además de esbozar los beneficios ya mencionados en esta sección, el profesor Mattson comparó la respuesta del cerebro al ayuno intermitente con cómo respondería al ejercicio regular. La comparación es muy similar. Tanto el ejercicio como el ayuno intermitente aumentan la producción de proteínas en el cerebro, lo que tiene el maravilloso efecto de fortalecer las sinapsis y facilitar la conexión de las neuronas. Tanto el ejercicio como el Ayuno Intermitente, actúan como catalizadores para la producción de células nerviosas en el hipocampo, así como para estimular la producción de cetonas, lo que el profesor Mattson describió como "gasolina para las neuronas".

Además, tanto el Ayuno Intermitente, como el ejercicio aumentan el número de mitocondrias en las neuronas. Las mitocondrias, conocidas como la fuente de energía de la célula, son pequeños órganos dentro de las neuronas que toman nutrientes para descomponerlos y crear moléculas ricas en energía, un proceso conocido como respiración celular. Esto, a su vez, asegura que las neuronas mantengan sus conexiones entre sí, y tiene el efecto general de mejorar nuestra capacidad de aprendizaje, así como la retención de los recuerdos existentes.

Prevención de la enfermedad de Alzheimer (también conocida como diabetes tipo 3)

Las investigaciones indican que la resistencia a la insulina juega un papel clave en la progresión de la enfermedad de Alzheimer, tanto que se ha propuesto cambiar el nombre de la enfermedad de Alzheimer por el de diabetes de tipo 3. Las personas que ya tienen resistencia a la insulina aumentan sus posibilidades de sufrir la enfermedad de Alzheimer en un 50-60%. Por lo tanto, cualquier cosa que reduzca la resistencia a la insulina y, por lo tanto, la cantidad de glucosa en la sangre en todas las partes del cuerpo, incluyendo el cerebro, debe ser considerada como una forma de evitar esta terrible enfermedad. El ayuno intermitente es uno de esos fenómenos.

Prevención de enfermedades

Ratones de laboratorio fueron infectados con salmonela y luego se pusieron a prueba con un ayuno intermitente. Se descubrió que esto disminuía las bacterias en los intestinos y en sus sistemas en general, gracias a un aumento en el sistema inmunológico central del intestino.

Prevención del cáncer

Tenemos que hablar de la insulina de nuevo. La insulina también está relacionada con la producción de algo llamado IGF-1. El IGF-1, o factores de crecimiento similares a la insulina, se ha relacionado con los siguientes cánceres: colon, páncreas, endometrio, mama y próstata. El mismo vínculo también se aplica a la insulina en sí, porque el IGF-1 va de la mano de la insulina. El ayuno intermitente reduce tanto la cantidad de insulina como la de IGF-1 en el sistema y, por lo tanto, reduce el riesgo de cáncer.

El Ayuno intermitentes y la inflamación

¿Qué es la inflamación?

Cuando se produce una inflamación en una zona específica del cuerpo, normalmente se hincha y enrojece y se siente caliente y dolorida. Esto ocurre como una reacción a una lesión localizada, y puede ser bastante doloroso. Este tipo de inflamación forma parte de la respuesta del sistema inmunológico a las cosas que no están bien en el cuerpo y es una forma de indicar a nuestro sistema inmunológico que repare y sane los tejidos u órganos dañados. Su papel en el sistema inmunológico es vital. Sin ella, las heridas podrían gangrenarse, y las infecciones que ahora pensamos que son relativamente inocuas podrían ser mortales.

El problema con la inflamación es si dura demasiado tiempo o se produce en una parte del cuerpo donde no es necesaria. Esto se llama inflamación crónica, y puede causar problemas reales. La inflamación crónica se ha relacionado con las enfermedades cardíacas y se ha identificado como un factor que influye en los accidentes cerebrovasculares y en las enfermedades autoinmunes debilitantes, como la artritis reumatoide.

Si te caes y te cortas el codo o te tuerces el tobillo, se induce la inflamación. Es un fenómeno temporal, y sólo ocurre en el punto de la lesión, es decir, alrededor del codo o del tobillo.

Cuando se produce la inflamación, los vasos sanguíneos se dilatan, aumentando así el tamaño de los capilares o las venas, facilitando un mayor flujo de sangre. Los glóbulos blancos se inundan en la zona afectada para continuar con el proceso de curación. Por eso se puede ver enrojecimiento e hinchazón en una zona inflamada. El tejido dañado libera sustancias químicas llamadas citoquinas, que envían señales de emergencia, y son éstas las que hacen que la célula inmune del cuerpo responda.

Además, las prostaglandinas, otro tipo de hormona, crean coágulos de sangre, que ayudan a detener el flujo sanguíneo, permitiendo que el tejido dañado se cure. A medida que la parte afectada del cuerpo comienza a curarse, la inflamación disminuye. Esta es la inflamación haciendo exactamente lo que se supone que debe hacer.

Por otro lado, la inflamación crónica puede ser mortal. También se llama inflamación persistente o de bajo grado porque puede permanecer durante mucho tiempo. Los niveles bajos de inflamación se producen por una razón: la lesión. Pero con la inflamación crónica, algo va mal con las señales. El cuerpo percibe una amenaza interna, aunque no haya ninguna enfermedad o lesión presente. A veces esto hace que el sistema inmunológico responda, y los glóbulos blancos se arremolinan alrededor del cuerpo, listos para la acción. Pero en ausencia de tener nada que hacer y ningún lugar para hacerlo, estos glóbulos blancos, normalmente benévolos y vitales para la salud del cuerpo, comienzan a atacar las células de los tejidos sanos y los órganos internos.

Por ejemplo, la acumulación de placa en las paredes de las válvulas del corazón no es causada por el colesterol sino por células inflamatorias que han estado presentes en los vasos sanguíneos durante demasiado tiempo. El sistema inmunológico identifica a estas células como intrusas e intenta separar la placa de la sangre dentro de las arterias y válvulas. La placa finalmente se vuelve inestable y se desprende de la pared de la válvula, formando rápidamente un coágulo que bloquea el flujo de sangre al corazón o al cerebro. El resultado final es un ataque al corazón o un derrame cerebral. Así que la inflamación se ve ahora como un indicador más prevalente de un posible ataque al corazón o un derrame cerebral, y el colesterol se ve como una amenaza menor.

La inflamación crónica también se ha asociado con el cáncer, porque a lo largo del tiempo, la inflamación puede causar daños en nuestro ADN, mutando las células y volviéndolas cancerosas. La inflamación también se ha relacionado con otras enfermedades crónicas, como el Alzheimer, la demencia e incluso la diabetes tipo 2.

Otra de las características mortales de la inflamación crónica es que muy a menudo no tiene ningún síntoma. Un marcador que indica su presencia es algo llamado proteína C reactiva, y esto es lo que los médicos pueden analizar.

En esencia, la inflamación crónica plantea peligros reales para nuestra salud, y el ayuno intermitente puede ayudar a abordar sus peores consecuencias.

Ya hemos discutido cómo el ayuno intermitente ayuda al cuerpo a limpiarse a nivel celular (gracias a la autofagia) y también cómo estimula la cetosis.

Durante la cetosis, una de las cetonas que más se produce se llama beta-hidroxibutirato, y se ha relacionado con el bloqueo de la parte del sistema inmunológico que causa trastornos inflamatorios como la artritis reumatoide y el Alzheimer.

Otro catalizador de la inflamación es cuando la insulina y la glucosa se acumulan en la sangre. Como hemos discutido ampliamente, el ayuno puede ayudar a reducir o resolver completamente la resistencia a la insulina y, por lo tanto, reducir la cantidad de insulina y glucosa en la sangre dentro del sistema. La inflamación, por lo tanto, no se produce o se produce muchísimo menos.

Resumen

• El ayuno intermitente ayuda al funcionamiento del cerebro y evita enfermedades neurodegenerativas como el Alzheimer.

• El ayuno intermitente también puede reducir el riesgo de cáncer y evitar las enfermedades gástricas.

• El ayuno intermitente ayuda a reducir la gravedad y los casos de inflamación crónica no deseada.

• La inflamación crónica se ha relacionado con ataques cardíacos, apoplejías, cáncer, demencia y diabetes de tipo 2.

Capítulo 4: Regímenes de ayuno intermitente

La historia de Lisa

Después de que mis dos hijos nacieron, había ganado algo de peso, unas 30 libras. Quería perder peso, y buscaba algo que encajara fácilmente en mi estilo de vida, sobre todo con dos niños llenos de energía rebotando por todo el lugar. También fui corredora de larga distancia semi-profesional antes de tener a mis hijos, y quería volver a serlo.

Lo que me atrajo del ayuno intermitente fue su flexibilidad. Hice unos cuantos planes antes de llegar al que más se ajustaba a mis necesidades. Comencé adelantando mi última comida un par de horas para estar en ayunas durante 12 horas. Luego le di la vuelta y empecé a saltarme el desayuno.

Perdí 4 libras en un mes, lo que me hizo feliz, pero quería añadir algunas sesiones de carrera, y estaba deseando volver a estar en forma un poco más rápido. Pasé al plan 5:2 (cinco días de alimentación normal y dos días de reducción de calorías). Para mezclarlo, también reduje ligeramente mis carbohidratos y los reemplacé por grasa y proteínas. Perdí siete libras en un mes, y sabía que iba en la dirección correcta.

Finalmente, me decidí por el plan de "un día sí, un día no". Para mí, esto era una extensión lógica de la dieta 5:2. Entrené duro sólo en los días en que comía normalmente, pero caminé un poco ligero en los días de semi-ayuno. En los siguientes dos meses, perdí 20 libras y logré el peso que quería alcanzar. No podría estar más feliz.

Ahora he vuelto a la dieta de 5:2 porque no necesito perder más peso; se trata de quedarme donde estoy ahora. También puedo entrenar más duro, y cuando me pongo a ello, puedo ayunar un día a la semana. Pero es bueno para mí saber que si necesito cambiar las cosas, puedo hacerlo con bastante facilidad. No me resultó difícil seguir esta dieta en absoluto, probablemente porque pude cortarla y cambiarla para adaptarla a mis necesidades. Cuando hacía un "día sí, un día no" en los días de bajas calorías, me daba mucha hambre al final del día. Pero me acostumbré a ello y tenía mi última comida pequeña, justo antes de irme a la cama. También me sorprendió descubrir que al día siguiente, cuando me desperté, tenía hambre, pero sólo normalmente. Significaba que no sentía la necesidad de comer en exceso en los días normales. Fin.

Ayuno intermitente y comida baja en carbohidratos

Antes de comprometerte con un régimen de ayuno intermitente, vale la pena echar un vistazo a tu dieta en general. Una de las posibles alegrías del ayuno intermitente es que no tienes que hacer necesariamente grandes cambios en lo que comes. Puedes seguir como antes, sólo que en una ventana de tiempo diferente. Pero creo que sabes qué camino tomaría en este tema. Recomendaría, por experiencia personal, reducir los carbohidratos también. A eso me he comprometido. Ya he hablado de los peligros de las dietas de restricción de calorías, y estos peligros pueden ser magnificados en un ayuno intermitente.

Imagine un ayuno de 16 horas. Hacia el final de ese proceso, sus niveles de hambre aumentarían a medida que la grelina se libera en el torrente sanguíneo. Si tu ayuno termina y luego comes bajas grasas y calorías restringidas, es poco probable que puedas sofocar esas sensaciones de hambre. Si no estás comiendo tanto como necesitas, es muy probable que esas sensaciones empeoren. La privación de calorías y el ayuno intermitente no se corresponden bien.

Aunque recomiendo un enfoque bajo en carbohidratos, no necesariamente tienes que reducir los carbohidratos a los niveles recomendados en intervenciones dietéticas como la dieta Atkins y la dieta Keto, que recomiendan una ingesta de carbohidratos del 10-20%. En la sociedad actual, esto es mucho más difícil de lograr de lo que se imagina, especialmente con la cantidad de azúcar añadida artificialmente que existe en gran parte de nuestra comida de supermercado.

Una cosa en la que la mayoría de los enfoques dietéticos concuerdan es la necesidad de eliminar los bocadillos y pasteles azucarados, el chocolate, las rosquillas, etc. No es necesario erradicarlos de la dieta, pero si, como yo, son una característica regular de los patrones de alimentación, entonces hay que hacer algo al respecto. Si como yo, eres un pre-diabético, entonces realmente necesitas hacer algo al respecto.

Hay una cosa que simplemente no puedes hacer porque anularías cualquier beneficio que obtienes del ayuno intermitente. En tus períodos de comida, no te llenes con comida chatarra, bocadillos azucarados, pan con almidón, pizzas hechas con harina refinada, rosquillas, pasteles de crema, chocolates o cereales azucarados para el desayuno. Esa lista no está completa, pero ya te haces una idea. Si tu dieta consistía en gran parte en alimentos con alto contenido de carbohidratos, especialmente artículos hechos con azúcar y harina refinada, antes de comenzar el Ayuno Intermitente, a menos que reduzcas la cantidad y el tipo de alimentos que comes, el ayuno intermitente no hará tanta diferencia. Es discutible si podría hacer alguna diferencia en absoluto.

Antes de describir los diversos regímenes de ayuno intermitente, quiero reiterar, una vez más, una pieza vital de información pública.

Antes de emprender cualquier cambio de dieta, debes consultar con tu médico. Si hay alguna razón en particular por la que no deberías intentar el ayuno intermitente, tu médico lo sabrá (afortunadamente, esto sólo se aplica a una pequeña fracción de un porcentaje de la población). En particular, si estás embarazada o has sufrido trastornos alimentarios, no deberías intentar este enfoque. Y si tienes diabetes de tipo 2 o prediabetes, asegúrate de visitar al médico antes de comenzar.

Ahora es el momento de ver los regímenes de ayuno intermitente que puedes probar. Esta información te ayudará a decidir qué es lo mejor para ti.

He intentado presentarte la opción en orden de duración de los ayunos. Lo he hecho porque creo que es más fácil ayunar durante períodos de tiempo más cortos, especialmente si eres nuevo en esto, pero eso no significa que los ayunos más cortos sean los más efectivos.

Cuando te pones a ello, puedes encontrar que los períodos más cortos son bastante fáciles y quieres pasar a períodos de ayuno más largos. Esa es tu decisión, y es algo que debes averiguar. En última instancia, cuanto más tiempo pases en un estado de ayuno, más se reducirán tus niveles de glucosa en la sangre a normas saludables, más inducirás la cetosis y por lo tanto quemarás grasa, y se incrementarán todos los demás beneficios que he descrito en secciones anteriores.

Uno de los ayunos más largos que se recomiendan es el de 36 o incluso 42 horas. Personalmente, nunca soñaría con ello, pero no puedo negar el impacto beneficioso que tendrá en el inicio de todas las etapas del ayuno.

Así que hay dos consideraciones que compiten entre sí. En primer lugar, ¿cuán rápido y extremadamente quieres experimentar los beneficios del ayuno intermitente? En segundo lugar, ¿cuánto tiempo puede tu cuerpo tolerarlo?
Vamos a ello.

Resumen

• No es necesario seguir ningún plan nutricional en particular mientras se hace un ayuno intermitente, aunque muchos nutricionistas recomiendan un enfoque bajo en carbohidratos.

• El ayuno intermitente no debe combinarse con una dieta de privación de calorías, ya que esto simplemente magnificará los niveles de hambre y potencialmente inducirá a comer en exceso.

• Si ayunas de manera intermitente, pero sigues comiendo altos niveles de alimentos "basura", alimentos llenos de carbohidratos refinados, especialmente azúcar, es poco probable que se sientas todos los beneficios de un régimen del Ayuno intermitente. Incluso es posible que no sientas ninguno.

• Si tu dieta incluye alimentos azucarados con alto contenido de carbohidratos y/o alimentos hechos de harina refinada, debe trabajar en la reducción de la ingesta de estos artículos.

El 16:8 o Régimen de Leangains

El régimen de 16:8 es también conocido como el plan Leangains (ganancias magras), un nombre dado por un proponente del Ayuno Intermitente llamado Martin Berkhan. Su blog se llamaba Leangains, y defendía una combinación de ayuno intermitente y entrenamiento con pesas para ganar masa corporal magra. Es una combinación interesante porque, como se mencionó, el Ayuno Intermitente quema la grasa corporal y no la masa muscular.

Ahora se conoce más comúnmente como el plan 16:8 porque el aspecto del entrenamiento con pesas, aunque posiblemente sea una opción sensata, no tiene que formar parte de un régimen de ayuno intermitente.

El régimen 16:8 es muy simple de explicar. Es una proporción, y los números se refieren al número de horas en un período de 24 horas que estarás ayunando (ese es el primer número) y el número de horas que no estarás ayunando (el segundo número).

Por ejemplo, si decidieras ayunar durante 18 horas en lugar de 16, dejándote así una ventana para comer de 6 horas en un día, se te describiría como si estuvieras en un régimen de 18:6. Sólo recuerda que el primer número siempre se refiere al número de horas que estás ayunando, y el segundo al número de horas que no estás ayunando.

Si te describes a tí mismo como que estás en un régimen de 8:16, esto sonaría como si estuvieras ayunando durante 8 horas y sin ayunar durante 16, en otras palabras, la rutina normal de la mayoría de las personas, ya que pasan aproximadamente 8 horas durmiendo y, por lo tanto, sin comer.

Es tan simple como eso para describirlo. Pero dentro de esa simplicidad, es necesario tomar decisiones que son un poco más complejas, principalmente en lo que respecta a la proporción de horas que pasas en modo de ayuno.

El régimen 16:8 es una variación popular, probablemente la más popular, pero no necesariamente tienes que atenerte a eso. Podrías, por ejemplo, empezar con un régimen de 12:12, y obtendrías algunos beneficios de esto. Podrías empezar con esto si quisieras y trabajar en ello. Si estás en el 12:12 y estás perdiendo algo de peso y te sientes mejor, tal vez quieras permanecer allí.

Sin embargo, recuerda que debes decidir qué régimen es mejor para tu estilo de vida, y podrías optar por cualquier variación (siempre que pases al menos la misma cantidad de tiempo en modo de ayuno o preferiblemente más tiempo). Puedes ir por 13:11, 14:12, o puedes mezclarlo y combinarlo para reflejar lo que está sucediendo en tu vida. Así que puedes hacer 15:12 un día, 17: 7 el siguiente, etc.

Sin lugar a dudas, la opción más popular es 16: 8, y esto se debe a que se logra con ella, una buena quema de grasa. Otro enfoque bastante popular es el 18: 6, pero es posible que te sorprenda de la diferencia que esas dos horas de ayuno hacen en tus niveles de grelina y tus sentimientos de hambre.

Esta es la belleza del ayuno intermitente. Tú decides, nadie más. Todo lo que debes tener en cuenta son esas dos consideraciones: qué tan rápido deseas beneficiarte, frente a cuánto tiempo puedes tolerar un ayuno.

Así es como empecé y dónde estoy ahora. Como se mencionó anteriormente, actualmente estoy en mi segundo episodio de ayuno intermitente. El primer régimen fue "un día libre, un día no", mejor conocido como ayuno de días alternos (ADA). Tuvo mucho éxito ya que perdí 20 libras en dos meses y logré mantenerlo. Después de mi enfermedad, pasé al régimen 16: 8, simplemente porque quería darle a mi cuerpo recién recuperado un régimen un poco menos inductor de hambre para volver a él. Insisto en que mi enfermedad no tenía ninguna relación con mi dieta o mi sistema digestivo.

Para mi segunda fase, comencé el 18: 6, y podría haberme quedado en eso mientras pudiera hacer frente a los dolores de hambre en las últimas dos horas. Pude hacer frente (y todavía puedo), pero ahora me estaba confiando y estaba intrigado por el impacto que 16: 8 tendría en mí, así que lo intenté. Aunque mi pérdida de peso no es tan prolífica como lo fue en el régimen de ADA, todavía estoy muy feliz con eso. En el 16: 8, me encuentro cómodo, casi todos los días.

Pero 16: 8 no siempre se ajusta a mi estilo de vida, especialmente en algunos días cuando doy conferencias por la tarde. Así que ahora, en una semana promedio, pasaré tres días al 18: 6, tres días al 16: 8 y un día al 12:12. El día 12:12 es un domingo, que es un día lleno de cosas familiares, fiestas infantiles, comidas y otros pasatiempos similares, así que estoy un poco más relajado. Aunque mi ayuno es más corto, sigo evitando los productos azucarados. Ya ves, yo controlo el régimen, el régimen no me controla.

Otra consideración sumamente importante para ti es esta: ¿a qué hora del día comienzas tu ayuno? Esto tiene enormes implicaciones para tu estilo de vida y el éxito de tu régimen.

Una amiga mía, cuando le dije lo que estaba haciendo, me dijo: "¿No es ese un nombre elegante para saltear una comida?" Se sorprendió cuando acepté con entusiasmo. Así de fácil es. Es el equivalente a omitir una comida si estás en un régimen de hasta 16: 8.

Si decides embarcarse en un régimen de 16: 8, entonces para la mayoría de las personas es cuestión de decidir qué comida omitir.

Teóricamente, podrías hacer un ayuno de 16 horas durante el día mientras estás despierto. Pero tendrías que desayunar temprano y tener tu última comida tarde. Por ejemplo, si desayunas a las 8 a.m., deberás esperar hasta la medianoche antes de poder comer. Esto no es realmente práctico para la mayoría de las personas. Tal vez podrías tomar un desayuno temprano (digamos 6:00 a.m.), y luego tener tu última comida a las 10:00 a.m.

Al menos tendrías la ventaja de no acostarse con hambre, un factor importante a tener en cuenta. Este régimen de todo el día es posible, pero no conozco a nadie que lo haga. Piensa en dormir. Si incluyes tu tiempo de sueño en tu ayuno, estarás inconsciente durante aproximadamente 8 horas. Habría una gran diferencia mental y física entre estar despierto durante las 16 horas completas de tu ayuno y estar despierto solo durante 8 horas.

Entonces, si estás de acuerdo y decides tomar la decisión de sentido común de incorporar tus horas de sueño en tu ayuno, volvemos a la pregunta de qué comida omitir. Así es como se vería un ayuno de 16 horas si te saltearas el desayuno.

1. Cena a las 8:00 p.m. Comienzas el ayuno

2. Ve a la cama.

3. Despierta y continúa ayunando hasta el mediodía.

4. Al mediodía termina el ayuno

5. Del mediodía a las 8:00 p.m., comes normalmente.

6. Repita desde el paso 1.

Si haces esto, solo tienes hasta el mediodía para esperar para comer. Esto es similar a mi régimen, con algunas diferencias. Tiendo a comer mi cena un poco más tarde (un horario principalmente dictado a qué hora se duermen mis hijos). Usualmente termino cenando en algún lugar entre las 9:00 y las 10:00 p.m. Si como antes, tomaré un pequeño refrigerio bajo en carbohidratos justo antes de las 10:00 p.m. Por la mañana, estoy feliz de saltarme el desayuno, y no me resulta demasiado difícil ayunar hasta las 2:00 p.m. Cuando estoy en ayunas durante 18 horas, extiendo el período hasta las 4:00 p.m., y tampoco tengo un gran problema con eso. Si como mi cena un poco más tarde de 10:00 p.m. (lo que sucede ocasionalmente), entonces es fácil ajustar todos los tiempos en consecuencia.

Ahora, veamos un horario potencial para alguien que se saltee la cena.

1. Come tu comida a las 4:00 p.m. Comienza el ayuno.

2. Acuéstate a la hora habitual.

3. Despierta y desayuna a las 8:00 a.m. cuando termina el ayuno.

4. Come normalmente entre las 8:00 a.m. y las 4:00 p.m.

5. Repite desde el paso 1.

Al igual que con el régimen de saltear el desayuno, puedes ajustar los tiempos en consecuencia. Mientras haya 16 horas sin ayuno, puedes comer tu última comida a las 6:00 p.m. y terminas tu ayuno a las 10:00 a.m., o tu última comida podría ser a las 2:00 p.m., y podría terminar tu ayuno a las 6:00 a.m. Recuerda, adaptar el régimen a tu estilo de vida, esa es la consideración más importante. Pero en un régimen de 16: 8, a cualquier hora que elijas, el principio general de omitir tu primera comida o tu última comida, se ajusta perfecto.

Saltarse el desayuno versus saltarse la cena

¿Es mejor saltarse el desayuno o la cena? Bueno, no hay opciones incorrectas aquí porque aún disfrutarás de los beneficios del ayuno intermitente, sea cual sea la comida que elijas omitir. En realidad, hay una elección incorrecta, pero tiene más que ver con si eliges saltar una comida que no encaja mejor con tu estilo de vida. Odio ir a la cama con hambre, por lo que elegir saltear mi cena sería una locura para mí.

Sin embargo, hay algunos estudios que indican que hay ventajas en saltarse la cena. Tu cuerpo todavía es capaz de quemar grasa mientras duermes, y si comes demasiado tarde, tu cuerpo digiere los alimentos mientras duermes, lo que, en ausencia de cualquier otra actividad, es un proceso más lento.

Estas son las afirmaciones hechas por aquellos que abogan por saltarse la cena. Puede que todas sean ciertas, pero no han habido estudios significativos que las respalden, y los estudios que se han llevado a cabo, no son concluyentes. En ausencia de evidencia creíble, de cualquier manera, es mejor ir por lo que te haga sentir mejor. Para mí, eso es saltarse el desayuno.

En los viejos tiempos, cuando comía bastante tarde en la noche y no me preocupaba demasiado por lo que estaba comiendo, sufría indigestiones terribles y reflujo ácido. Si bien sigo comiendo relativamente tarde en la noche en comparación con algunos, hoy en día he eliminado por completo mis bocadillos a altas horas de la noche. En consecuencia, esos episodios de reflujo ácido e indigestión casi han desaparecido.

Yo iría más lejos. En el pasado he dormido mal, y mis patrones de sueño definitivamente han mejorado desde que comencé el ayuno intermitente, particularmente desde que abolí los bocadillos de basura a altas horas de la noche.

Por ejemplo, siempre me he despertado en la noche y tuve problemas para volver a dormir desde que era un niño. Esta situación ha mejorado notablemente. Sin embargo, tengo que dar crédito donde se debe. Además del Ayuno Intermitente, he realizado algunos otros cambios relacionados con mi sueño y han contribuido a la mejora. Dormir es muy importante para su salud en general y su metabolismo en particular. Y como veo el ayuno intermitente como parte de un estilo de vida saludable, que incluye dormir, lo cubriré más adelante en el libro.

Pero volvamos a nuestro tema de omitir comidas. Si, como yo, sufres episodios de indigestión nocturna, puedes aceptar la idea de saltear una comida por la noche. Es justo, pero lo único a considerar es el hambre nocturna.

Por experiencia personal, despertarse con hambre a las 3:30 a.m. es una prueba de fuerza de voluntad. Algunas personas están de acuerdo con esto, por lo que nuevamente se vuelve a las preferencias personales. Quizás el desayuno sea una comida importante para ti y, por lo tanto, una que no querrás omitir. Saltarse la cena puede ser para ti.

¿Yo? ¡Soy un salteador de comida de la mañana! Saltear una comida en el desayuno es algo que encuentro bastante fácil de hacer. No estoy solo en esto porque este es el patrón más popular para el ayuno intermitente, ya sea en el régimen 16: 8 o 18: 6.

Tengo hambre durante el día, pero los sentimientos nunca son tan convincentes como cuando me levanto por la noche. Quizás sea porque hay mucho que hacer en el día. Tengo hambre en este momento. Me queda una hora de mi ayuno. Sé que en unos minutos, cuando esté en el meollo de escribir este libro, ni siquiera pensaré en esa hambre hasta unos 10 minutos antes de que termine mi ayuno.

Sin embargo, repito una última vez. Solo soy una persona, y saltear el desayuno me queda bien a mí. Pregúntate qué te conviene. ¿Nunca podrías imaginar la vida sin el desayuno? ¿Saboreas tus cenas? Solo tú conoces tu cuerpo. Solo tú conoces las rutinas de tu estilo de vida. De cualquier manera, siempre y cuando mantengas tu ayuno, no puedes equivocarte.

El régimen 5: 2

Para confundir un poco las cosas, una de las versiones más conocidas del ayuno intermitente se llama régimen 5: 2. Pero esta vez, la relación se refiere a los días de la semana. Hay que decir que esta es una de las variaciones más duraderas y populares sobre el ayuno intermitente, popularizada por el periodista británico Michael Mosley, un apasionado defensor del ayuno como una forma de estar más saludable. Los principios y beneficios del régimen 5: 2 son los mismos que los del 16: 8, pero la metodología es diferente.

Estrictamente hablando, no es un ayuno completo. En los dos días en que tiene lugar toda la acción, no ayunas, pero reduces drásticamente tu consumo de calorías a aproximadamente una cuarta parte de lo que normalmente comerías.

Despojado, así es como funciona. Cinco días de tu semana son lo que llamarías días normales. No ayunas ni restringes tu consumo de calorías. Más bien, solo comes como lo harías normalmente.

Son los otros dos días que comienzas el ayuno, pero en lugar de no comer nada, restringes su consumo de calorías a 600 por día. Tampoco se recomienda tener los dos días restrictivos consecutivos, pero siempre que haya un día sin ayuno entre tus días restrictivos, puedes elegir el día que desees como tus dos días.

Como la mayoría de los otros regímenes de ayuno intermitente, no hay énfasis en lo que comes, y aparte de los días de ayuno, donde tus calorías están restringidas a 600, no es necesario contar calorías.

Sin embargo, la advertencia existe en esta dieta, al igual que en todos los planes. Si comes comida chatarra en exceso en tus días sin ayuno, las posibilidades de perder peso son muy remotas. De hecho, tienes más posibilidades de aumentar de peso. Sin embargo, siempre que evites la comida chatarra, puedes comer lo que quieras.

En los días en que estás limitado a 600 calorías, puedes hacer lo siguiente:

• Haz tres comidas pequeñas espaciadas y consumidas cuando normalmente comes: desayuno, almuerzo y cena.

• Divide tus 600 calorías en dos comidas, tal vez un almuerzo y cena temprano o un pequeño desayuno y un almuerzo tardío.

• Come una sola comida de 600 calorías, generalmente en la cena o el desayuno.

Independientemente de cómo lo hagas, asegúrate de ingerir muchas proteínas, ya que las proteínas te ayudan a sentirte más lleno. Es posible que desees incluir elementos como pescado blanco, huevos, carne magra, lentejas o tofu. Para obtener una guía más exhaustiva de los alimentos, consulta la sección de alimentos de este libro.

Hay otra alternativa, y es comprar bolsas de comida estrictamente controladas de compañías especializadas. Para un buen ejemplo, echa un vistazo a la página web de "Exante".

Proporcionan bolsas de comida con exactamente 200 calorías. Son muy bajos en grasa y azúcar, pero contienen bastante proteína y todos los nutrientes adicionales que necesitas durante el día.

Algunos de ellos tienen un sabor bastante bajo, pero otros están bien. Además, si eliges ir por este camino, al menos no tendrás que preocuparse por exceder su límite de calorías o no obtener suficientes nutrientes o un conteo adicional de calorías. Si te preguntas cómo sé esto, es porque usé suplementos Exante durante mi primer episodio de ayuno en días alternos.

Esto no es un anuncio o colocación de producto para Exante. Solo me he centrado en ellos porque he usado sus productos en un régimen de Ayuno Intermitente. Insisto en que hay otras compañías que están haciendo lo mismo, así que compara precios.

Aunque estás comiendo pequeñas cantidades en estos días de "ayuno", no es suficiente para poner tu cuerpo en modo de digestión completa, y los estudios muestran que en la dieta 5: 2, aún obtiene una mejor sensibilidad a la insulina, la cetosis y la pérdida de peso.

Las ventajas de la dieta 5: 2 se centran en que no tienes que preocuparte por ella durante la mayor parte de la semana (los cinco días), y es por eso que es una de las opciones más populares. Reducir tus calorías a 600 en un día puede ser bastante difícil, pero es más fácil de manejar una vez que sabes que podrás comer normalmente durante los próximos dos o tres días.

El régimen de ayuno de días alternos (ADA)

Esto también se conoce como el régimen de "un día libre, un día no". Los principios, al igual que los otros regímenes de Ayuno Intermitente, son simples. Come normalmente en un día, luego ayuna al día siguiente y sige haciéndolo una y otra vez.

Sin embargo, hay dos variaciones del día de ayuno. El primero es no comer en absoluto. La segunda variante, al igual que la dieta 5: 2, implica permitirse 600–800 calorías al día durante los días de ayuno. La mayoría de las personas optan por la última opción, ya que ayuda a pasar el día mejor. Se aplican las advertencias habituales de no comer comida chatarra y tonterías azucaradas en los días sin ayuno.

Además, aunque la mayoría de las personas comienzan su ayuno tan pronto como se van a la cama, no tienes que hacerlo. Puedes comenzar a las 2:00 p.m. o 6:00 p.m., siempre que tu período de ayuno o restricción calórica severa dure 24 horas.

Este es el primer régimen en el que me sumergí. Ni siquiera estoy seguro de por qué ahora, pero me alegro de haberlo hecho porque me facilitó una pérdida de peso significativa. Si no me hubiera enfermado con una afección no relacionada, podría haber continuado.

Una de las grandes ventajas de este régimen es que el peso se desprende más rápido. Bueno, lo harías, ¿no? En los días de ayuno / restricción de calorías, estás llevando tu cuerpo a la cetosis y bajando tus niveles de glucosa en la sangre por períodos mucho más largos.

Además, me hizo sentir lúcido y no experimenté ninguna forma de hinchazón, ni en ayunas ni en días de ayuno, aunque me fui a la cama con hambre. Ahí es cuando comenzaría mi ayuno, tan pronto como me acostara. En los días de ayuno, mi sueño no se vio tan afectado como pensé que podría haber sido.

Como mencioné anteriormente, uno de los aspectos más interesantes de este régimen fue cómo me sentí cuando me desperté después de un día de restricción calórica. Pensé que estaría hambriento, pero no lo estaba. Sentí hambre y comí un buen desayuno abundante. Sin embargo, no tenía ganas de comer en exceso, y me sentí satisfecho una vez que terminé mi desayuno normal.

Hubo otro efecto secundario inesperado. En mis días de restricción calórica, donde consumí tres bolsas de suplementos alimenticios en el transcurso del día, tuve más tiempo para otras cosas, ya que la mayoría de las bolsas simplemente requieren que agregue agua y revuelva bien. No estaba pasando tiempo preparando una comida o comiéndola, y el único lavado involucraba una cuchara, un tazón o una taza, y mi tazón para mezclar.

Pero, tenía hambre esos días, la mayor parte del tiempo. Y como sabía que ir a la cama con hambre no era divertido, guardé mi última "comida" hasta dos minutos antes de acostarme. Debido a que las bolsas están llenas de proteínas, tienden a hacerme sentir inmediatamente lleno, una sensación que duró aproximadamente una hora, y por lo general, para entonces, estaba profundamente dormido.

Una de las otras ventajas es que perdí más peso por semana que en mi régimen actual, pero todo esto es relativo. Me siento mucho más feliz con un régimen de 16: 8 ya que no tengo los dolores de hambre que tuve. Y a diferencia de perder un promedio de tres libras a la semana con ADA, ahora estoy perdiendo 1.5–2 libras. No tengo absolutamente ningún problema con eso.

Sin embargo, estoy jugando con la idea de introducir un día de restricción de 600 calorías en la mezcla solo para ver cómo funciona. Ahí está la gran cosa otra vez. Puedes mezclar y cambiar estos regímenes adaptándolos a lo que más te convenga. Si lo intento y puedo hacerlo, entonces puedo llevarlo a la práctica un día una, vez por semana, pero tal vez no lo haga. De cualquier manera, todo está bien.

Irónicamente y con el riesgo de sonar como un hipócrita masivo, si recién estás comenzando con el ayuno intermitente, el ADA no es un enfoque con el que recomendaría comenzar. Realmente es bastante completo, aunque sus resultados son tremendos. Si volviera a empezar desde cero, probablemente me regrese al régimen 16: 8.

¡Continuemos! ¡Hora de la dieta del guerrero!

La dieta del guerrero

Tienes que amar los nombres dados a algunas de estas dietas. ¡Vaya, parece que comí como un guerrero! Habla acerca de la alimentación de la testosterona. No sorprende que se llame así porque su creador, un caballero llamado Ori Hofmekler, solía ser miembro de las Fuerzas Especiales israelíes. Ahora trabaja en acondicionamiento físico y nutrición, y todos los consejos que reparte se derivan de sus experiencias en el ejército.

Para Hofmekler, no es lo suficientemente bueno como para simplemente inducir las cinco etapas del ayuno intermitente. La dieta del guerrero está diseñada para estresar el cuerpo al reducir la ingesta de alimentos y extender el período de ayuno a 20 horas y patear lo que Hofmekler llama "instintos de supervivencia". En su libro, Hofmekler reconoce que no tiene ciencia para validar sus afirmaciones, pero lo basa en sus propias observaciones y experiencias. Entonces al menos es honesto.

Hay dos grandes diferencias entre esta y otras intervenciones del Ayuno Intermitente. En primer lugar, la ventana de ayuno es de 20 horas, y no es un ayuno completo. Se permite comer pequeñas cantidades de lácteos, huevos duros y frutas y verduras crudas, así como mantenerse hidratado. El énfasis está en lo pequeño.

Además, una vez que la ventana de 20 horas se ha cerrado, esencialmente puedes comer cualquier alimento que desees, ¡incluso donas! Sin embargo, Hofmekler recomienda los alimentos orgánicos y sin procesar como primera opción.

¿Funciona? Técnicamente sí. Después de todo, es una forma de ayuno intermitente y, por lo tanto, disfruta de los beneficios.

Como anécdota, las personas informan que, aunque es físicamente posible comer una gran cantidad durante el período de cuatro horas, la mayoría de las personas no lo hacen. Por lo general, están lo suficientemente llenos antes de consumir su ingesta normal de calorías por lo que se detienen, y esto promueve la pérdida de peso.

El mayor inconveniente es obvio. Para la mayoría de las personas, puede ser muy difícil seguir esta rutina de medio ayuno de 20 horas. Los informes de hambre extrema son bastante comunes en esta dieta. Además de no ser adecuada para mujeres embarazadas o personas con diabetes tipo 1, también debe ser evitada por atletas profesionales y personas con trastornos alimenticios.

Ese último merece una consideración extra. El énfasis de la dieta del guerrero en los atracones (Hofmekler usa la palabra "atracones" en su libro para describir el período de cuatro horas) durante el período de cuatro horas puede conducir a trastornos alimenticios, según algunos nutricionistas, pero es solo una opinión. Así como no hay evidencia de que este régimen funcione, tampoco hay evidencia que sugiera que causa trastornos alimenticios.

Además, muchos en la profesión de la salud sostienen que las personas simplemente no obtendrán suficientes nutrientes en esta dieta durante el día, pero esto se puede compensar siempre que planifiques lo que vas a comer.

Si decides embarcarte en esto, hay tres fases. En la fase 1, que Hofmekler describe como "la desintoxicación", durante el período de "ayuno" de 20 horas, se recomienda comer solo caldo, jugos de verduras, requesón o huevos duros. Durante el período de cuatro horas, que se describe como "el atracón", se recomienda comer una ensalada con aderezo de aceite y vinagre, una gran cantidad de proteínas vegetales, granos integrales, queso y verduras cocidas. También puedes comer tantas veces como quieras dentro de la ventana.

La segunda semana se llama etapa alta en grasas. En esta etapa, el tipo de alimento que se recomienda comer durante las 20 horas es exactamente el mismo, pero durante la etapa de comer en exceso de cuatro horas, también se recomienda comer, aparte de la ensalada, carne magra, con muchas proteínas, verduras cocidas y nueces. Los carbohidratos están completamente prohibidos.

La fase 3 se llama "la etapa final de pérdida de grasa" y los ciclos entre los días altos en carbohidratos y proteínas. En los primeros dos días, se le recomienda comer muchos carbohidratos. Los próximos dos días, debes comer muchas proteínas y pocos carbohidratos. Y luego, cada dos días, alterna entre muchos carbohidratos y muchas proteínas. Después de haber terminado las tres etapas, vuelves a la fase 1 y comienzas de nuevo.

La dieta UCD

Este es un jugador relativamente nuevo. Supongo que era inevitable que los nutricionistas descubrieran formas cada vez más extremas de hacer dieta. Este régimen empuja aún más al bote del Ayuno Intermitente.

UCD significa "una comida al día", y el período de ayuno es en realidad 23 horas por día. Supongo que podrías llamarlo un régimen de 23: 1. Tienes una hora al día para comer, y literalmente no hay limitaciones a lo que puedes consumir en esa hora. Como anécdota, la mayoría de las personas informan que comen por la noche y hacen todo lo posible por comer tanto como pueden.

Aparentemente, es poco probable que puedas comer la cuota de calorías de un día completo en una sola sesión, por lo que, lógicamente, estás consumiendo menos calorías. Los defensores de UCD también señalan el ahorro de costos de comer solo una vez al día, pero esto es bastante espurio.

Tiene la ventaja de ser uno de los planes más simples para prepararse. Al igual que la dieta guerrera, los beneficios científicos de esta dieta son difíciles de encontrar, ya que no se han realizado estudios importantes. Sin embargo, te beneficiará debido a que es una forma bastante extrema de ayuno intermitente.

Las desventajas incluyen la propensión a comer en exceso, y más adelante, que podría llevarte a tener trastornos alimenticios. Además, las personas informan que comen todo lo que pueden cuando pueden, por lo que era más difícil tener una dieta equilibrada.

Sin embargo, requiere una gran fuerza de voluntad, y parece (al menos anecdóticamente) que esta forma de comer hace que las personas estén un poco más cansadas o con poca energía antes de que termine su período de ayuno. La investigación sobre la efectividad de esta dieta es un poco inestable.

Si bien no han habido grandes estudios, un estudio relacionó la UCD con un aumento en la presión arterial y los niveles de colesterol, pero esto pudo haber tenido que ver con que la comida que se comió estaba repleta de carbohidratos procesados y grasas. Otro estudio mostró que tenía un efecto positivo en el control de los niveles de glucosa en sangre, lo cual no es una sorpresa. Supongo que esta es una decisión para ti. ¿Podrías hacerlo? ¿Vale la pena probarlo? Realmente no estoy seguro.

El ayuno de 36 o 42 horas

Un ayuno de 36 o 42 horas se acerca peligrosamente al territorio del hambre. Nuevamente, puedes seguir un patrón de comer 600 calorías en un período de 24 horas, por lo que, en tu período de 36 horas, se te permitiría comer entre 800 y 1,000 calorías, o simplemente podrías no comer.

Un patrón común para un ayuno de 36 horas sería dejar de comer a las 8:00 p.m., y al día siguiente, no comer nada en absoluto. El día después puedes desayunar. Sin lugar a dudas, obtendrías los beneficios de la cetosis (posiblemente incluso la cetosis intensa) y la quema continua de grasa a través de un nivel bajo de glucosa en sangre.

Hay una gran pregunta sobre el ayuno durante 36 horas y, en particular, el ayuno durante 48 horas. ¿Solamente quemas grasas o comienzas a quemar masa muscular cuando el cuerpo entra en modo de inanición? El consenso general entre los nutricionistas es que se necesitan hasta tres días de ayuno continuo, antes de comenzar a aprovechar sus reservas musculares para obtener energía.

Teóricamente, con un ayuno de 36 o 42 horas, tu cuerpo continúa quemando grasa incluso si come carbohidratos porque es posible que pueda cambiar el énfasis de tu cuerpo de quemar glucosa como preferencia, a quemar grasa de manera preferencial. Una y otra vez, tengo que enfatizar que hay poca evidencia para apoyar esta afirmación.

También se ha informado que este tipo de ayunos largos no te dan tanta hambre como podrías pensar, una vez que el ayuno ha terminado y puedes volver a comer. Pero el mayor inconveniente es simplemente la resistencia, especialmente la versión de 42 horas.

No es una buena idea ir más allá de las 42 horas. Aunque tres días parecen ser el número mágico antes de que tu cuerpo comience a consumir masa muscular, no vale la pena el riesgo de permitir que tu cuerpo entre en modo de inanición total. Esto debe evitarse a toda costa. Por lo general, esto solo ocurre cuando te privas de calorías durante un período prolongado de tiempo (por ejemplo, en una dieta de privación de calorías), o estás muy desnutrido, o si no estás muy bien. El ayuno por más de 42 horas puede hacerte desmayar. No vale la pena el riesgo.

¿Por qué es tan mala la pérdida de masa muscular? Hay dos razones principales. Primero, si pierdes masa muscular, pierdes fuerza, y a medida que envejeces, necesitas fuerza para moverte de forma saludable. A partir de los cincuenta y cinco años, los músculos se atrofian de forma natural, por lo que perder masa muscular a través de la dieta, empeoraría la situación. Sin una buena formación de los músculos del cuerpo, te vuelves físicamente débil.

Como ejemplo de la importancia de esto, como ciudadano de la tercera edad, una de las mejores maneras de evitar la necesidad de un reemplazo de cadera, aparte de no sufrir de artritis, sobre la cual tienes un control limitado, es asegurarte de no caerte. Una de las mejores maneras de asegurarte de que no caerte es tener un conjunto fuerte de músculos alrededor de tu región central (abdomen y espalda) y tus piernas, y la forma de hacerlo es haciendo ejercicio.

Así que mantener los músculos fuertes ayuda a prevenir las caídas. Por lo tanto, perder masa muscular por inanición o de cualquier otra manera, es una forma segura de debilitar tu físico.

La segunda razón para evitar el modo de inanición es que una vez que empiezas a quemar masa muscular, tu ritmo metabólico se reduce.

Los nutricionistas y los científicos tienden a hablar de algo llamado tasa metabólica basal, que se refiere al número de calorías necesarias para lograr un funcionamiento básico o basal. El funcionamiento basal incluye la respiración, la circulación de la sangre, la producción de células y, finalmente, el procesamiento de nutrientes.

Cuando el cuerpo comienza a convertir la masa muscular en energía, la tasa metabólica basal se ralentiza, porque el cuerpo está esencialmente en modo de inanición. Esto es un gran problema. Cuanto más baja es la tasa metabólica basal, menos energía se necesita. Quemas glucosa y grasa a un ritmo más lento, y como resultado, la pérdida de peso se ralentiza o se invierte.

Digamos que tú puedes estar comiendo una cantidad tan pequeña, que pones a tu cuerpo en modo de hambre. Cuando sales de eso y empiezas a comer normalmente, tu cuerpo no se da cuenta inmediatamente de esto, y tu tasa metabólica basal se mantiene desinflada. Por eso, cuando la gente pasa de comer con restricción calórica a comer lo que quiere, empieza a engordar mucho más rápido de lo que normalmente lo haría, y por eso estas dietas no suelen funcionar tan bien.

Por eso no se recomienda ayunar durante más de 48 horas. No estoy convencido de que las consecuencias de un ayuno de 36 o 42 horas, con la producción de enormes cantidades de grelina en el cuerpo, que llevan a un hambre voraz, hagan que este régimen valga la pena.

La Dieta de la Fijación Rápida: Diseñada para los diabéticos de tipo 2

Lo que estoy a punto de discutir está dirigido a los diabéticos de tipo 2, pero tiene algunos vínculos emocionantes con el ayuno intermitente. Sigue leyendo.

En 2018, ITV, una cadena de televisión del Reino Unido, emitió un notable programa llamado *The Fast Fix: Diabetes* (La rápida solución para la diabetes) Usando la ciencia de un estudio conocido como *Directo*, el programa nos mostró un experimento con cinco conejillos de indias humanos que estaban en la agonía de la diabetes tipo 2. Sus niveles de glucosa en la sangre estaban por las nubes, y sus niveles de grasa visceral también eran anormalmente altos. Un hígado sano debería tener un 2,5% de grasa visceral. La mayoría de los participantes del estudio mostraron una grasa visceral de más del 15%, y un participante mostró niveles del 27%. Con la grasa visceral siendo claramente identificada ahora como un marcador para la diabetes tipo 2 y muchas otras condiciones que reducen la vida, los riesgos eran altos.

La dieta era más parecida a la semi-inanición que al ayuno intermitente. Cada participante dispuesto pasó cuatro semanas en una granja de salud y fue observado de cerca por los médicos a cargo del experimento, así como por los presentadores de televisión y sus cámaras.

Durante ocho semanas, a los participantes sólo se les permitió comer complementos alimenticios de 200 calorías estrictamente controlados. Ya los he mencionado aquí; eran de una compañía llamada Exante. Se les permitió cuatro de estos al día con un total de 800 calorías y nada más. Estoy seguro de que pueden imaginar que fue una dura batalla para todos ellos, pero cada uno de ellos lo superó notablemente hasta el final del proceso.

De los cinco participantes, tres de ellos habían puesto su diabetes en remisión completa. Sus niveles de glucosa en la sangre habían vuelto a los niveles normales. También habían perdido entre 28 y 56 libras cada uno. Había dos participantes cuyos niveles de glucosa en la sangre no habían vuelto a los niveles normales, pero estos dos eran los que tenían la glucosa en la sangre más alta. Uno de los participantes estaba muy cerca de los niveles normales de glucosa en la sangre y, considerando que uno había comenzado a un ritmo de 120 mmol/L (milimoles por litro), y el otro con un sorprendente ritmo de 140 mmol/L, que había bajado a 110, otro resultado notable.

No ha habido información sobre lo que ha sucedido desde el programa, pero la iniciativa en la que se basó, *Directo*, que había estado funcionando durante dos años, ha logrado resultados igualmente notables. Alrededor del 70% de los participantes en un estudio de *Directo* aún estaban en remisión diabética dos años después de haberse embarcado en la iniciativa, y dos tercios de los participantes han perdido más de 22 libras en el programa.

Casi todos en el estudio *fast-fix* y en el estudio *Directo* han reportado una calidad de vida mucho mejor. Se sienten más saludables, y hay una reducción de los marcadores de salud asociados con el riesgo de enfermedades cardíacas.

El vínculo emocionante entre esto y el ayuno intermitente es que ustedes también pueden disfrutar de estos beneficios sin recurrir a una dieta tan extrema. Los creadores del estudio *Directo*, el profesor Roy Taylor y el profesor Mike Lean (qué maravilloso apellido para una profesión de este tipo), han indicado que lo que lo hace tan exitoso es la eliminación del exceso de grasa visceral del hígado y el páncreas. Esto provoca una especie de reinicio del sistema de producción de insulina y eleva la sensibilidad a la insulina a niveles normales.

Recuerda, la grasa visceral es la primera en ser llamada como una forma de energía. Perder peso mediante la eliminación de la grasa visceral no sólo es genial para revertir la diabetes, como indica este estudio, sino también para asegurarte de no contraer diabetes en primer lugar. Además, recuerda que el ayuno intermitente puede lograr estos resultados porque, inicialmente, tu estarás principalmente perdiendo grasa visceral.

Por supuesto, para las personas con niveles normales de glucosa en la sangre, no recomiendo esta dieta, pero a modo de demostración de lo excitante que pueden ser algunos de los efectos de la pérdida de peso a lo largo del proceso de ayuno, esto es difícil de superar.

Capítulo 5: Ayuno intermitente para principiantes

Ahí lo tienes. Hay un número de opciones abiertas para ti e incluso opciones dentro de las opciones 16:8 o 18:6, 5:2 o UCD. Incluso puedes elegir un poco de todo.

Hay tantas variantes que puede ser un poco desconcertante, pero una vez que te metas en ello, te darás cuenta de cómo tu cuerpo responde y lo que tu estilo de vida puede manejar. Voy a ofrecerte una sugerencia para empezar. Este comienzo es de la escuela "Roma no se construyó en un día", también conocida como "Fue la tortuga, no la liebre, la que ganó la carrera". Si mis torpes metáforas no son suficientes, lo que quiero decir es que no hay prisa.

Así que no tienes que perder montones de peso rápidamente para empezar a sentirte más saludable. Apresúrate, y aumentarás tus posibilidades de fracaso. Planifica adecuadamente y experimenta con los enfoques, aceptando que puede que no lo hagas bien la primera vez, y no hay nada malo en ello. Estarás bien.

Sugerencias para principiantes

Para empezar, combinaría la dieta de 5:2 con un enfoque de 12:12. Debido a que la terminología puede ser confusa, describiré claramente lo que quiero decir. En cinco días de la semana, se come de forma saludable y normal. No necesitas saltarte las comidas. No necesitas contar las calorías. En los dos días restantes, en lugar de reducir drásticamente las calorías a 600, que es lo que harías si estuvieras en la dieta convencional de 5:2, ayunas durante 12 horas y comes normalmente durante las otras 12. Por lo tanto, es una combinación de dos regímenes. Así es como podría verse tu régimen:

Semana 1

• Día 1: Come como de costumbre. Ten tu última comida a las 9:00 p.m.
• Día 2: Desayuna o come tarde a las 9:00 a.m. o después. Este será un ayuno de 12 horas. Durante el resto del día, come de manera normal.

• Días 3 y 4: Come como siempre. El día 4, ten tu última comida a las 9:00 p.m.

• Día 5: No comas hasta las 9:00 a.m. Este es otro ayuno de 12 horas completado. Por el resto del día, come de manera normal.

• Día 6 y 7: Come como de costumbre.

Semana 2

En la semana siguiente, abandonas el modo 5: 2 y haces ayunos
de 12 horas cada dos días. Si te sientes cauteloso, puedes agregar
un día más de ayuno en lugar de ayunar cada dos días, pero así
es como se vería tu semana si ayunas cada dos días.

• Día 1: Come como de costumbre. Ten tu última comida a las
9:00 p.m. Tu ayuno de 12 horas ha comenzado.

• Día 2: Desayuna a las 9:00 a.m. Tu ayuno ha terminado. Come
normalmente durante el resto del día.

• Día 3: Come como de costumbre. Tu última comida es a las
9:00 p.m. Comienza el ayuno.

• Día 4: Come a las 9:00 a.m. Fin del ayuno. Come normalmente
durante el resto del día.

• Día 5: Come como siempre. La última comida es a las 9:00 p.m.
Comienza el ayuno.

• Día 6: Come a las 9:00 a.m. Fin del ayuno. Come normalmente
durante el resto del día.

• Día 7: Come como siempre.

Semana 3

Para la tercer semana, aumenta tus ayunos de 12 horas. Por primera vez, estarás ayunando en días consecutivos. Puedes agregar uno o dos días adicionales o ir por toda la semana. Una vez que estés acostumbrado a esto, puedes pasar de 13:12 a 14:11, o incluso a 16: 8.

Si este plan suena demasiado cauteloso para ti, que podría serlo, idea tu propio plan eventualmente. Aquí hay otro ejemplo de un plan, esta vez, uno que se acumula para ayunar en días alternos. Lo que voy a hacer ahora es presentarte un plan gradual que eventualmente acumule hasta 18: 6 y ayuno en días alternos. No incluiré un plan que involucre ayunos de 36 y 42 horas, pero si eso es algo que crees que puede probar (y siempre que lo hagas con el asesoramiento médico adecuado), hazlo.

Enfoque inicial en 5: 2

Etapa 1: Se hace fácil.

En las semanas 1 y 2, una alimentación saludable es importante durante cinco días. Elije dos días para acelerar de forma intermitente y asegúrate de que no sean consecutivos. En las primeras dos semanas, en lugar de reducir tu consumo de calorías en los dos días de semi-ayuno a 600 calorías, redúcelo a 1.200. Esto te dará tiempo para acostumbrarte al proceso.

Etapa 2: Ve por ello.

Las semanas 3 y 4 en adelante son iguales, pero esta vez en los días de semi-ayuno, reduce tu consumo de calorías a 600. Asegúrate de estar comiendo bien y de manera saludable durante tus días sin ayuno. Haz una revisión después de cuatro semanas.

Etapa 3: ¿Puedes manejarlo?

Si después de cuatro semanas, te estás sintiendo bien, agrega otro día de semi-ayuno. Entonces, en lugar de ser 5: 2, podría hacerlo una semana 4: 3. Por primera vez, podrías hacer que el día extra de semi-ayuno adicional sea un día de 1,200 calorías en lugar de los 600 completos. La semana siguiente, podrías convertirlo en un día completo de 600 calorías. Volveré a enfatizarlo: comer normal y saludablemente en los días sin ayuno, y en los días en semi-ayunas, mantenerse completamente hidratado.

Etapa 4: hazlo cada dos días.

Ahora es el momento de cambiar al ayuno de días alternos (ADA). Comer normalmente por un día y semi ayunar al otro día, significa que en algunas semanas estarás ayunando durante cuatro días y otras semanas estarás ayunando durante tres días. Realmente no importa ahora. Es importante el aspecto del ADA. Como ya sabes, ADA es como empecé. Desearía haber leído este libro primero, ya que habría intentado este enfoque antes.

Aquí tienes otro plan.

Enfoque inicial 2

Este es otro enfoque que utiliza el método Leangains, es decir, ayunar durante el día.

• **Semana 1:** ayuna solo por un día y hazlo durante 12 horas.

• **Semana 2:** durante dos días, ayuna durante 12 horas. Asegúrate de que los días de ayuno no sean consecutivos.

• **Semanas 3–7:** haz tres días de ayuno. En cada semana posterior, agrega un día de ayuno, de modo que la semana 4 tendrá cuatro días de ayuno, la semana 5 tendrá cinco y la semana 6 tendrá seis. Para la semana 7, debes estar en ayunas todos los días durante 12 horas.

• **Semanas 8–11:** aumenta tus horas de ayuno.

• **Semana 12-13:** ayuna durante 17 horas en la semana 12, y 18 horas en la semana 13.

Semana 14: si te sientes con ganas, prueba más de 18 horas.

En algún momento de este proceso, comenzarás a luchar entre los beneficios de las horas más largas del Ayuno Intermitente en contra de cómo te hace sentir y si te sientes cómodo. Debes identificar tu nivel y luego atenerte a eso por ahora.

Perdí más peso con el régimen de ADA, pero estoy mucho más cómodo usando un enfoque flexible de Leangains. Mi semana ahora se ve así:

• **Lunes:** ayuno durante 18 horas (comienzo a las 10:00 p.m. del domingo). Termino el ayuno a las 4:00 p.m. Comienzo un nuevo ayuno a la 10: 00 p.m.

• **Martes:** ayuno durante 17 horas y comienzo el ayuno a las 3:00 p.m. Luego comienzo un nuevo ayuno a las 10:00 p.m.

• **Miércoles:** ayuno por 18.5 horas. Termino el ayuno a las 4:30 p.m. Comienzo nuevo ayuno a las 10:00 p.m.

• **Jueves:** ayuno durante 16 horas y ayuno a las 2:00 p.m. Luego comienzo un nuevo ayuno a las 10:00 p.m.

• **Viernes:** ayuno durante 18 horas y ayuno a las 4:00 p.m. Luego comienzo un nuevo ayuno a las 10:00 p.m.

• **Sábado:** ayuno por 15.5 horas y ayuno a la 1:30 p.m. Luego comienzo un nuevo ayuno a las 10:00 p.m.

• **Domingo:** ayuno durante 12 horas y ayuno a las 10:00 a.m. Luego comienzo un nuevo ayuno a las 10:00 p.m.

La media hora extra que no hago los miércoles y sábados tiene menos que ver con un resultado de una intención deliberada y más que ver con lo que está pasando conmigo en esos días. El miércoles, debido a compromisos laborales, no puedo comer hasta las 4:30 p.m. También el sábado a la 1:30 p.m., no tengo problemas con el ayuno de 18.5 horas, pero no me gustaría hacerlo todos los días.

Entonces tienes una gran variedad de opciones. Si no estás seguro de cuál probar, simplemente elije cualquier régimen y pruébalo. Pronto descubrirás si es adecuado para ti. No te preocupes si no funciona la primera vez que estableces una rutina. Los errores son los que nos hacen tener éxito.

Y ahora, algunos consejos sobre cómo prepararte para tu cambio de estilo de vida.

Cómo prepararte para tu régimen de ayuno intermitente

Como la mayoría de los adultos, he tenido experiencias variadas en mi vida. He hecho cosas que han funcionado y otras que no. He visto a otras personas tener éxito, y algunas caen de cabeza. He visto que esto sucede con dietas, regímenes de ejercicio, negocios con remodelaciones de casas o aprendiendo nuevas habilidades. Una y otra vez, las personas tienen éxito o no.

Y la única acción común a todas aquellas personas que han tenido éxito es simplemente esto: preparación. Es decir, no sumergirse de cabeza sin pensarlo. Lo mismo se aplica a su enfoque de ayuno intermitente. Aquí hay algunos consejos que te ayudarán a prepararte.

1. Habla sobre esto con tu médico.

Nunca me canso de decirles que deben decirle a su médico primero por razones que ya he compartido. Una advertencia: visité a un médico para decirle lo que estaba haciendo, y él fue extremadamente despectivo. "No necesitas hacer esto", me dijo. "Lo que debes hacer es dejar de comer tanto como lo haces y recuperarte". Puede que no te sorprenda saber que cambié de médico después de eso. El siguiente médico estaba más informado, y ella describió algunas de las dificultades de las que podría necesitar estar al tanto. No necesitaba su aprobación, pero su consejo me ayudó a enfocarme. Lo que mi médico hizo por mí y lo que tu médico debe hacer por ti, es hacerte algunos exámenes. Esta es la siguiente etapa de tu preparación.

2. Descubre todos los marcadores de salud que puedas.

Por marcadores de salud, me refiero a aquellas medidas en tu cuerpo que indican tu salud o muestran dónde se encuentra en una escala particular. La siguiente es una guía de qué y dónde obtener la información. No es 100% necesario obtenerlos todos. Particularmente porque algunos de ellos pueden ser bastante caros de obtener. Por ejemplo, si deseas una medida completamente precisa de la grasa visceral, necesitará hacerse una tomografía computarizada inicial y luego, después de un período de tiempo, otra para ver cómo ha disminuido. Esto es costoso.

3. Controla tu peso.

Bonito y fácil. Invierte en una balanza y controla tu peso justo antes del comienzo de tu nuevo régimen.

4. Mide tus niveles de glucosa en sangre.

En mi opinión, esta es, la medida más importante a tener en cuenta. Hay dos formas de evaluar los niveles de glucosa en sangre. En primer lugar, puedes invertir en una máquina de medición de glucosa en sangre. No es extremadamente cara. Pero una advertencia: no solo necesitas la máquina, necesita las tiras reactivas y las lancetas (un nombre elegante para una aguja).

Uno de los inconvenientes de una máquina de prueba es la forma en que la usas. Se necesita un poco de tiempo para acostumbrarse. Debes pinchar uno de tus dedos con la lanceta y extraer una pequeña cantidad de sangre para aplicarlo a las tiras reactivas. Es algo que se vuelve más fácil con la práctica y vale la pena las molestias. Si lo estás haciendo de esta manera, te recomiendo que hagas la prueba a primera hora de la mañana cuando se despiertes, justo antes de comer tu primer comida, y dos horas después de haber comido, que es cuando su glucosa en sangre debería estar en su punto más alto.

El otro método es obtener un análisis de sangre de tu médico. Esto medirá algo llamado niveles de hemoglobina A1c (o HbA1c para abreviar). Esta es una evaluación mucho más precisa de tus niveles promedio de glucosa en sangre durante las 8 a 12 semanas anteriores.

5. Mide tu presión arterial.

Es útil para tu médico hacer esto, pero también puedes invertir en una máquina de control de la presión arterial, que puedes adquirir por entre U$ 50 y U$ 150. Debes medir tu presión arterial mientras estás sentado y descansando.

6. Mide tus niveles de triglicéridos.

Deberías obtener esto a través de un análisis de sangre acordado con tu médico. Los niveles elevados de triglicéridos indican un mayor riesgo de enfermedad cardíaca.

7. Mide tus niveles de HDL y LDL.

Nuevamente, esto sería un análisis de sangre en el consultorio de tu médico. Lo que deseas es tener niveles más bajos de LDL (lípidos de baja densidad) y más altos de HDL (lípidos de alta densidad). Los bajos niveles de LDL te ponen en mayor riesgo de insuficiencia cardíaca.

8. Mide el tamaño de tu cintura.

Necesitarás un equipo muy complicado para hacer esto. Se llama una cinta métrica. Envuélvela alrededor de tu vientre y anota tu talla. Me encanta esto porque es simple y también porque es genial verlo caer.

No solo sabes que estás perdiendo peso, sino que también estás perdiendo grasa visceral cuando esta se reduce, porque se acumula alrededor del abdomen. La mejor manera de obtener una medición es envolver la cinta métrica alrededor de tu abdomen para que quede nivelado con tu ombligo. Asegúrate de que no esté demasiado apretado y que esté recto en la parte delantera y trasera. No contengas la respiración mientras mides. Respira normalmente y luego verifica el número en la cinta métrica después de haber exhalado.

9. Mide tu porcentaje de grasa corporal.

tu porcentaje de grasa es otro indicador útil, especialmente porque intentarás perder grasa corporal y particularmente grasa visceral. Una medición de grasa corporal es una forma de separar el peso de tu cuerpo en dos secciones: la masa de grasa en tu cuerpo y todo lo demás (como los músculos, los huesos y el cabello).

Hay varias maneras de llevar esto a cifras. Puedes ir al médico, y él usaría una máquina de pesaje hidrostático de alta tecnología, que no es barato. En realidad, puedes comprar dispositivos digitales relativamente económicos, pero no te asegura que sean particularmente precisos. También hay algo conocido como el método de la pinza, podrías obtener un par de pinzas de grasa corporal a un precio relativamente bajo.

Sin embargo, existe un grado de complejidad en la medición de la grasa corporal, que tiene que ver con agarrar los pliegues de la piel en varias áreas. Puede ser bastante difícil agarrar los pliegues de la piel al mismo tiempo y obtener una lectura del calibrador. Si puedes conseguir que alguien te ayude, sería genial.

También hay una serie de fórmulas utilizadas para calcular la grasa corporal. Las fórmulas detrás de las mediciones son increíblemente complejas, pero tomar la medición en sí no lo es, ni tampoco lo es calcular el porcentaje de grasa corporal. Hay varios sitios que podrían ayudarte con esto. No quiero entrar en una gran cantidad de detalles ahora, pero la clave es que cuando midas, seas coherente. Usa los mismos calibres y la misma fórmula. Una vez que haces esto, es un proceso bastante sencillo.

10. Mide tu proteína C reactiva (PCR).

Esta es una medida útil para evaluar si tienes inflamación no deseada en tu cuerpo. Necesitarías obtener esto a través de un análisis de sangre de su médico. Es muy posible que Tus niveles de PCR sean normales y que no tengas nada de qué preocuparte, pero vale la pena saberlo.

11. Mide tu grasa visceral.

Desafortunadamente, la única forma de tomar una medida precisa de la grasa visceral es a través de una costosa tomografía computarizada. Si puedes permitírtelo, hazlo. Aunque no es tan preciso, una guía útil para medir la cantidad de grasa visceral, es estudiando el tamaño de tu abdomen y cintura, particularmente en relación con tus caderas. La forma de medir esto es bastante simple. Primero, usando una cinta métrica, mide tu cintura a través de tu ombligo. Luego mide el tamaño de tu cadera desde la parte superior de los huesos de la cadera.

Para obtener una proporción, divide la medida de tu cintura por la medida de tu cadera.

Si eres hombre y obtienes 1 o más, eso indica que tienes demasiada grasa visceral. Una medición de incluso 0.95 disminuirá tu riesgo de enfermedades. Para las mujeres, el indicador de demasiada grasa visceral es 0.85. Un objetivo útil para una relación cintura-cadera saludable es 0.8.

12. Calcula cuáles son tus objetivos.

Aquí es donde todas estas medidas te resultarán útiles. ¿Qué es lo que estás tratando de lograr con tu régimen de ayuno intermitente? Es una pregunta fundamental, y si no tienes claro qué quieres obtener, aumentarán las probabilidades de abandonar la dieta. Al tomar tantas de las medidas enumeradas anteriormente como te sea posible, podrás tener una buena idea de lo que estás tratando de lograr exactamente.

Cuando pensé en mis objetivos, inicialmente los puse en términos generales. Quería sentirme más saludable, así que ese era un objetivo. Quería vivir más tiempo, y ese era un objetivo, porque sabía que mi estilo de vida actual me estaba poniendo en riesgo. Quería poder disfrutar de actividades físicas con mis hijos, y estaba luchando por hacerlo, así que escribí las siguientes tres cosas: (1) Quiero ver a mis hijos crecer hasta la edad adulta, (2) Quiero sentirme más saludable durante el día, y (3) Quiero poder caminar en la playa o andar en bicicleta con mis hijos y no sentirme agotado al final.

Puedes tener aspiraciones similares. Es un ejercicio realmente bueno escribirlos antes de entrar en detalles específicos de cómo los va a lograr.

El objetivo más común es perder peso y, afortunadamente, si se hace correctamente, perder peso marca todo tipo de otros cuadros.

Escríbelo en alguna parte. Decláralo para ti mismo. Di algo como "Actualmente peso 197 libras, y quiero reducir eso a 162". Si lo tuyo es la glucosa en sangre, escríbela. Escribe algo como "Quiero pasar de ser pre-diabético a un rango normal de glucosa en sangre reduciendo mi HbA1c [promedio durante un período de 8 a 12 semanas] de 6.3 a 5.9".

Alternativamente, es posible que desees decir algo como: "Quiero aumentar mi sensibilidad a la insulina. La medida de esto será tener un nivel de glucosa en sangre de XYZ ".

Si tus niveles de triglicéridos o LDL son altos, puedes intentar reducirlos. Ese será tu objetivo. Si tienes presión arterial alta, del mismo modo.

Ahora tienes el conocimiento, con toda la información anterior para basar tus objetivos y tus metas en esos marcadores de salud que t ponen en riesgo y están en su punto más alto.

Por otro lado, ir solo por peso y perderlo adecuadamente es un enfoque loable porque la pérdida de peso de una intervención del Ayuno Intermitente (particularmente una relacionada con una dieta baja en carbohidratos) irá de la mano con una menor resistencia a la insulina, una reducción de grasa visceral, niveles más bajos de presión arterial, niveles más bajos de triglicéridos y LDL en el torrente sanguíneo y, por supuesto, niveles más bajos de glucosa en sangre.

Podrías combinar peso y medidas. "Quiero perder 45 libras, reducir mi relación cintura / cadera a 0.9 y reducir el tamaño de mi cintura de 44 a 38".

Mientras a lo que apuntes sean indicadores claros de salud, estarás bien. Pero tienes que tener un objetivo, y debes medir tu desempeño con respecto a ese objetivo.

13. Sigue tus objetivos clave.

Antes de comenzar tu régimen de ayuno intermitente, debes tener en mente de dos a cinco objetivos. Eso significa que deberás medirlos tanto como sea apropiado.

Algunos, como las lecturas de glucosa en sangre, es posible que desees tomarlas tres o cuatro veces al día. No tienes que hacerlo, pero puedes elegir un día de la semana para tomar lecturas. Otros, como los niveles de triglicéridos, solo puedes tomarlos una vez cada pocos mes.

Te recomendaría que te peses todos los días y tomes una lectura promedio durante la semana. Esto se debe a que tu peso tiende a fluctuar con la cantidad de agua que hay en el cuerpo o cuán llenos están tus intestinos. Si pisas la balanza una vez por semana, la lectura podría no reflejar dónde te encuentras realmente. Puedes intentar pesarte una vez al mes, pero la mayoría de las personas no pueden esperar tanto, por lo que un pesaje diario es la mejor manera de hacerlo. Pesarte no tomará en cuenta las fluctuaciones diarias y podría darte una lectura inexacta.

También es útil medir tu presión arterial una vez cada dos días. El tamaño de la cintura y la relación cintura-cadera no cambiarán todos los días, pero evaluarlos cada dos semanas es una buena manera de hacerlo. Si estás midiendo la grasa visceral con un calibre, hazlo una vez al mes.

También sabrás si estás perdiendo peso y grasa visceral por lo ajustada que se siente tu ropa. No hay una sensación más placentera que bajar un agujero del cinturón o ponerte ropa que, un mes antes, se sentía demasiado apretada.

14. Revisa sus elecciones de comida.

Lee la sección sobre alimentación saludable en este libro. Tu preparación será mínima si comes de manera saludable, o podría implicar simplemente eliminar algunas opciones poco saludables, como los bocadillos azucarados. Puede implicar una revisión general de tus hábitos alimenticios y el contenido de tu dieta. Tienes que hacerlo. Si no lo haces y continúas comiendo mucha comida chatarra, tu régimen no servirá para nada.

15. Cuéntale a las personas cercanas a ti.

He encontrado consejos contradictorios sobre esto. Muchas personas creen que no deberías contarle a nadie sobre tu nuevo régimen porque podrían socavarlo fácilmente con un mal comentario o incluso descartarlo.

Este es mi segundo episodio exitoso de ayuno intermitente. Hubiera sido insostenible sin el apoyo de mi esposa y mis hijos, tan jóvenes como son. Mi madre era la preocupación. Ella es, como su madre y su abuela, un alimentador. Nadie sale de la casa de mi madre sin haber comido algo u ofrecido algo de comer. ¡Varias veces!

Tenía que decirle, porque ella guarda todo tipo de dulces azucarados en la casa. No conozco a nadie que tenga más galletas en el armario que mi madre. Estaba ansioso por decírselo, pero estoy muy contento de haberlo hecho porque me sorprendió gratamente su respuesta. Todavía conserva montañas de cosas dulces, pero ha pasado de ofrecerme comida cinco veces por hora a nunca. Ella ha sido sensible a lo que soy, y está aún más feliz ahora que ha visto resultados positivos. Si no le hubiera dicho, esta habría sido una historia diferente.

En cuanto a los amigos, te apoyarán si son verdaderos amigos, y si no son verdaderos amigos, no lo harán, y al menos sabrás quiénes son los verdaderos amigos.

Es importante contarles a las personas importantes que te rodean, lo que sucede en tu vida. No solo hará que modifiquen su comportamiento hacia ti cuando sea apropiado, como en el caso de mi madre, sino que también actuará como una declaración. Para algunas personas, esto puede significar más presión, así que tenlo en cuenta. Pero para mí y para muchas otras personas, solo significa que estoy más enfocado en mis objetivos.

El Ayuno intermitente y las mujeres

Tanto los hombres como las mujeres pueden cosechar los beneficios del ayuno intermitente con su capacidad para ayudarlos a perder peso, reducir los triglicéridos y los lípidos de alta densidad, reducir los niveles de glucosa en sangre, inducir cetosis y autofagia, etc.

Pero hay alguna evidencia de que, para una pequeña proporción de mujeres, su reacción al ayuno intermitente puede no ser la misma.

Un pequeño estudio en ratas de laboratorio no obesas mostró que, después de tres semanas, mientras que los hombres mostraban niveles bajos de glucosa en sangre y una mayor sensibilidad a la insulina, las mujeres tenían niveles de glucosa en sangre ligeramente más altos, pero experimentaban el mismo aumento en la sensibilidad a la insulina.

El quid de la cuestión son las diferencias hormonales entre hombres y mujeres. En particular y enfatizo, para una pequeña proporción de mujeres, el ayuno intermitente puede causar desequilibrios hormonales.

Las mujeres son muy sensibles a cualquier signo de inanición, por lo que, si se produce una sensación de inanición, el cuerpo de algunas mujeres compensará la producción excesiva de leptina y grelina, dos hormonas clave para regular el hambre y la saciedad. La sobreproducción de ambas puede provocar hambre insaciable. Esto sucede como una forma de proteger a un feto potencial, y sucede si la mujer está embarazada o no.

La tendencia puede ser ignorar estas señales, lo que aumenta la producción de grelina, en particular. Esto podría ser seguido por atracones potenciales, seguidos de períodos en los que comen por de menos, por lo tanto, una vez más provocando la sobreproducción de la hormona del hambre. Este ciclo desagradable podría potencialmente alterar la actividad hormonal lo suficiente como para detener la ovulación temporalmente.

Sin embargo, los estudios sobre esto están lejos de ser exhaustivos, y hasta ahora, la mayoría de ellos solo se han completado en ratas. Incluso en esos estudios, los efectos solo ocurrieron esporádicamente. Los escasos estudios en humanos, de hecho, no muestran diferencias en cómo los hombres y las mujeres responden al ayuno intermitente, pero no son lo suficientemente importantes en cantidad, como para ser estadísticamente significativos.

Aunque los riesgos de desequilibrio hormonal son pequeños, se recomienda un enfoque para compensar estas respuestas. Posiblemente sea algo a considerar como punto de partida, y en el caso probable de que les haga bien, pueden optar por una opción más agresiva.
Hay algo llamado ayuno crescendo, y las reglas son así.

1. Ayuna lunes, miércoles y viernes (o martes, jueves y sábado). Solo asegúrate de que los días no sean consecutivos.

2. Ayuna por entre 12 y 16 horas.

3. En los días de ayuno, haz ejercicio ligero, yoga o ejercicio cardiovascular.

4. En los días sin ayuno, si deseas hacer más ejercicio, eso no sería un problema.

5. Mantente hidratada. Bebe mucho todo el día.

6. Después de dos semanas, si se sientes bien, agrega otro día de ayuno.

Los principios son similares a mis comienzos sugeridos. Comienza gradualmente y aumenta el tiempo de ayuno hasta que encuentres el mejor enfoque.

Capítulo 6: Ayuno intermitente como parte de un estilo de vida saludable

La historia de Juan

Soy un hombre de 29 años que tenía 140 libras de sobrepeso. Sí, lo leíste bien. Siempre fui voluminoso, lo cual fue genial cuando estaba en la universidad durante mis años de fútbol. En una década, conducía demasiadas millas, comía demasiada comida mala y festejaba mucho los fines de semana; y eso me pasó factura.

Mi médico lo describió como un ataque al corazón a punto de ocurrir. Mi presión arterial estaba fuera de la tabla, y en los últimos cinco años, había sufrido episodios de depresión.

Mi mejor amiga Lucy organizó una intervención, y un día fui emboscada por ella, mi mamá, mi papá y mis dos hermanas. Me rogaron que tomara alguna medida. Fue difícil ver a mi mamá llorar así.

Una de mis hermanas me dio un libro sobre ayuno intermitente. Para ser honesto, parecía bastante fácil, pero el Sr. Macho Man aquí optó por la dieta del guerrero. Seguramente, ¡no podría ser tan difícil ayunar durante 36 horas! Lo logré una vez, y fue horrible. De hecho, me sentí enfermo al final del ayuno y bastante emocional. Esta vez investigué un poco más para descubrir de qué se trataba realmente el ayuno intermitente.

La siguiente vez, volví a lo básico, comenzando muy lentamente y aumentando. Ni siquiera me perdí una comida; en cambio, decidí dejar de comer a las 10:00 p.m. y no comer hasta el desayuno. Esto fue un gran problema para mí. Aproximadamente una hora después de una gran cena, comenzaba a comer nuevamente, desgastando el piso entre mi sofá y la cocina. Nunca fue comida saludable, siempre fue de lo "bueno" (con eso quiero decir cosas realmente malas). Me encantaban las donas. ¿Qué estoy diciendo? Todavía amo las donas. Derribé seis Krispy Kremes de una sola vez, seguí con bocadillos de papa o galletas, o ambos, todo esto regado por botellas frías de cerveza.

Esta era mi vida, y dejar de hacerlo me dolió más de lo que pensé, al menos durante los primeros días. Pero luego noté algo. Por la mañana, me sentí mejor, más preparado para el día. Pensé que podría terminar compensando en exceso, comiendo más para la cena o el desayuno, que de todos modos ya eran bastante grandes, pero simplemente no lo hice. Después de tres semanas, había perdido siete libras.

Sorprendido por esto, decidí omitir una comida completa. Un día me salteé el desayuno y no comí más a la hora del almuerzo. Los primeros días de eso fueron una lucha. Me sentí muy hambriento antes del almuerzo, pero rápidamente me acostumbré. Adelanté un poco la hora del almuerzo, pero más o menos ayuné durante 13 horas al día y me sentí bien.

Después de otro mes y otras seis libras perdidas, decidí experimentar cuánto tiempo podría soportar. Sabía que sería entre 12 y 35 horas (nunca volvería a ayunar durante 36 horas). Descubrí que el mejor plan para mí era 16: 8. Cualquier cosa más larga que eso era una lucha.

Disfruté de la pérdida de peso durante los primeros cuatro meses, y luego comenzó a disminuir. Sabía que tendría que hacer algo con lo que comía, no solo cuando lo comía. Traté de reducir las calorías con el ayuno intermitente, pero me pareció una pesadilla, y casi me hizo rendirme.

Lo que me gustó del ayuno es cómo me dio hambre, pero pude manejarlo. Cuando comencé a contar mis calorías y reducir mi consumo, pasé de controlar mi hambre a ser un esclavo.

Así que miré lo que estaba comiendo en lugar de cuánto estaba comiendo y comencé a reducir gradualmente los carbohidratos. Todavía estaba comiendo donas durante el día, pero poco a poco, dejé de hacerlo y lo reemplacé por alimentos más saludables (es decir, verduras y frutas). Fue entonces cuando la pérdida de peso realmente comenzó a entrar en acción, y comencé a sentirme mucho mejor.

Si dijera que fue fácil, sería mentira. Muchas veces, me sentí bien, y fue bastante fácil, pero hubo algunas noches largas y un par de veces cuando descarrilé y simplemente volví a mis viejos caminos. A la mañana siguiente, me sentí terrible, lo que debe haber sido algo bueno. Estos tiempos han sido pocos y distantes entre sí.

En catorce meses, perdí 70 libras y me siento maravilloso. Ayuno por 16 horas al día todos los días. Se ha convertido en una parte tan regular de mi vida ahora que no puedo imaginar volver a ser como era.

Y mi presión sanguínea ha bajado. Me di cuenta de que había dejado de socializar, salir con la gente. Pasaba la mayor parte de mi tiempo como recluso, comiendo, mirando televisión y jugando videojuegos. Claro, quedarse solo está bien, pero la gente necesita gente. Empecé a salir de nuevo, mezclándome con viejos amigos e incluso haciendo nuevos amigos. Todavía tengo mucho camino por recorrer, pero estoy bien y verdaderamente comprometido con en el viaje, y tengo un boleto de ida. Fin.

***

Existen cientos de sitios web y libros sobre el ayuno intermitente. Ciertamente es la dieta del día. Incluso hay algunos que afirman que todo lo que necesitas hacer para estar más saludable y perder peso es un estilo de vida en ayunas intermitente y nada más. Según estos libros y sitios web, no importa lo que comas, solo cuando comes. Además, estos libros pasan por alto (o ignoran por completo) cualquier otro aspecto del estilo de vida de una persona. Afortunadamente, los libros y sitios web que defienden esta actitud de laissez-faire hacia lo que se pone en la boca son pocos y distantes. Bien, porque está más allá de lo equivocado.

Para adoptar un estilo de vida verdaderamente saludable, uno debe considerar algo más que un régimen de ayuno intermitente. Es el triunvirato de una vida saludable: dieta, ejercicio y sueño.

¿Importan las calorías?

Ya he esbozado lo que pienso acerca de nuestra obsesión con las dietas basadas en la propuesta de "calorías entrantes, calorías salientes", a saber, que nuestro cuerpo gasta una cierta cantidad de energía, y esta energía se traduce en un valor calórico (para los hombres, el promedio la cifra es de 2.500 por día; para mujeres, 2.000).

Perder, mantener o aumentar de peso simplemente depende de la cantidad de calorías diarias que consumes en comparación con la cantidad de calorías que gastas de acuerdo con esta teoría. En consecuencia, si una mujer come 1.900 calorías, debería perder peso. Si son 2,000, ella mantendrá el mismo peso. Si ella come, 2,100, aumentará de peso.

En resumen, la evidencia científica de esto es, por decirlo amablemente, endeble. La evidencia de la experiencia directa (confirmada por una tasa de fracaso del 88% en la mayoría de las dietas) es aún más débil.

De hecho, parece probable que nuestra obsesión por comer menos calorías que las cantidades prescritas casadas con dietas bajas en grasas y altas en carbohidratos (que han sido la norma en los últimos 40 años) ha causado (o al menos contribuido significativamente) explosión en los niveles de obesidad.

Si bien la noción de contar calorías no es científicamente plausible, es difícil sentirse cómodo con la idea de que puedes comer tanto como quieras y consumir tantas calorías como desees sin que eso tenga ningún impacto en tu peso.

Revisemos brevemente la ciencia de la digestión y la energía. La grasa se usa como fuente de energía, y las cosas que no se usan se almacenan en las células adiposas. Por lo tanto, si su comida contiene una gran cantidad de grasa, más de lo que necesitas en ese momento en particular, el exceso de grasa que comes se almacenará en las células adiposas. Si comes demasiada grasa de una vez, parte de ella no se quemará.

La gran diferencia entre comer principalmente grasas y comer carbohidratos es esta: si comes un exceso de grasa (una tarea mucho más difícil de lo que se podría pensar, ya que la grasa digerida te hace sentir más lleno por más tiempo), la grasa no requerida se almacena pero estará disponible cuando es necesaria porque no ha sido obstaculizada por un exceso de insulina creado por los niveles altos de glucosa en la sangre, ya que la grasa tiene un impacto relativamente pequeño en el azúcar en la sangre. El exceso de grasa se almacena, pero no queda atrapado.

Por un lado, tenemos a la tribu Pima de Arizona, que come raciones de hambre, pero debido a que era principalmente azúcar y almidón, se volvieron obesos mórbidos (de acuerdo con la teoría de calorías entrantes, esto simplemente no debería haber sucedido). Y, por otro lado, tiene registros de personas que consumen hasta 3.500 calorías de grasas y proteínas y que se mantienen magras, una vez más en contradicción con la teoría de calorías entrantes y salientes.

Pero esto aún no elimina las calorías por completo. Nuestro sistema digestivo es complejo, y existe una relación complicada entre lo que comemos y cuánto comemos.

La consideración más importante es lo que comes. Consumir una dieta de carbohidratos puros te hará engordar a menos que consumas 4.800 calorías al día, pero comer grandes cantidades de alimentos con una variedad de macronutrientes aún te hará engordar.

Creo que la conclusión a sacar es que las calorías importan, pero no importan tanto como las proporciones de macronutrientes que consumes. Si comes demasiados carbohidratos, eventualmente causará estragos en tu metabolismo, particularmente en la grasa almacenada. Si comes muchas calorías además de eso, tu peso aumentará más. Por eso las calorías siguen siendo importantes.

Imagina un hombre comiendo 2.500 calorías de azúcar o incluso más. Es muy probable que el hombre se vuelva obeso mórbido. Imagina a un individuo comiendo más de 3,500 calorías de grasa y proteína todos los días. Inevitablemente, en algún momento, el exceso de calorías consumidas se mostrará en el cuerpo. Como se mencionó, las proteínas y las grasas te hacen sentir mucho más lleno más rápidamente, por lo que aún es posible debatir si es posible consumir más de 3,500 calorías al día. Pero el punto principal es que un exceso de calorías ingeridas diariamente alterará el peso de las personas (aunque la diferencia entre el peso ganado con azúcar o carne sería enorme).

Menciono esto porque hay una fuerte evidencia de que las personas que se embarcan en un régimen de ayuno intermitente tienden a comer menos calorías de lo que solían.

Claramente, lo que esto indica es que, para muchas personas, el Ayuno Intermitente, no aumenta el nivel de hambre hasta el punto de sentirse obligados a compensar en exceso al comer más cuando rompen el ayuno. De hecho, en general, el Ayuno Interitente, no parece hacer que las personas quieran agregar el contenido (en términos de volumen y valor calórico) de su comida omitida a su período de no ayuno. Simplemente comen comidas de tamaño normal. Del mismo modo, las personas que han tenido éxito con los regímenes altos en grasas y bajos en carbohidratos, como la dieta Keto o Atkins, también han informado que no comen tantas calorías como solían hacerlo.

Gran parte de esto puede tener que ver con la diferencia que tiene una reducción en los carbohidratos y un aumento en la grasa de la dieta en los niveles de saciedad. En resumen, te hace menos hambriento y menos propenso a comer.

Vale la pena recordar que el cuerpo está hecho para quemar grasa, y si algo impide que eso suceda, el cuerpo piensa que se está muriendo de hambre y segrega grelina como señal para comer. En consecuencia, si estás comiendo carbohidratos altos, atrapando así tus células grasas en los tejidos adiposos, el cuerpo querrá hacer algo al respecto.

Una persona obesa (que probablemente tiene niveles altos de glucosa en sangre y una sobreproducción de insulina) no come más de lo que debería porque es "codiciosa" (hay demasiados juicios morales acerca de la alimentación de lo que debería haber), sino porque su cuerpo carece de grasa para quemar.

De cualquier manera, en un régimen de Ayuno Intermitente, las personas consumen menos calorías, y vale la pena considerarlo porque puede tener algún impacto en la pérdida de peso. Si bien no necesitas contar calorías, creo que aún vale la pena conocer los volúmenes de alimentos que comes.

El índice glucémico

Creo que la clave para una dieta saludable es comer cosas que no mantengan tu glucosa en sangre perpetuamente alta debido a su efecto sobre la insulina y la resistencia a la insulina.

Hablando por experiencia personal, sin embargo, en muchas dietas altas en grasas y bajas en carbohidratos, se recomienda no comer más de 20 gramos de carbohidratos por día. Ésta es una tarea difícil. No es imposible, pero en mi experiencia, no es necesario.

Tiendo a comer entre 50 y 100 gramos de carbohidratos por día. La mayoría de los días, estoy más cerca de 50 gramos, pero ocasionalmente, estoy más cerca de los 100. Para poner esto en perspectiva, una porción de pasta de tamaño estándar será de entre 40 a 50 gramos de carbohidratos.

En raras ocasiones de alguna celebración familiar, podría abandonar temporalmente mis restricciones y comer un buen pedazo de pastel. Esa es la belleza de este enfoque. Puedes comer un postre dulce de vez en cuando. Podría decirse que podrías comer un postre dulce todos los días, y siempre que signifique una pequeña proporción de lo que comes durante el día y el resto de lo que comes son principalmente proteínas y grasas, podrías salirte con la tuya.

Pero el azúcar es adictivo. Cuanto más comes, más quieres comer. Por lo tanto, la mejor política es eliminar estos elementos de tu rutina diaria, y no te preocupes por tenerlos de vez en cuando. Contar las proporciones de macronutrientes (especialmente los carbohidratos) es útil al comienzo de tu plan de Ayuno Intermitente, pero te acostumbras tanto a conocer la composición de carbohidratos / azúcar / grasas / proteínas de los alimentos que se convierte en algo natural muy rápidamente.

Podrías decir: "¿No estás simplemente sustituyendo el conteo de calorías por el conteo de gramos?" Yo respondería que sí. Eso es precisamente lo que estoy haciendo, pero esta vez realmente funciona para reducir tu peso, y no tienes que hacerlo durante tanto tiempo.

Los alimentos que recomiendo son los que tienen menos impacto en tus niveles de glucosa en sangre. Incluso tiene un nombre: el índice glucémico.

El índice glucémico se relaciona con la propensión de un alimento a aumentar tus niveles de glucosa en sangre. Hay una dieta que lleva su nombre: la dieta con bajo IG. Cuanto más bajo sea el índice glucémico de un alimento, menor será el impacto que tendrá en tus niveles de glucosa en sangre, lo que a su vez significa menos transmisión de insulina por tu sistema.

No tienes que seguirlo obsesivamente. De hecho, vale la pena decir que puedes comer lo que quieras: carbohidratos, grasas, proteínas, pizzas, pollo, donas, etc. Simplemente no puedes comer lo que te gusta todo el tiempo; debe asegurarse de que las proporciones de lo que comes sean saludables.

Por ejemplo, puedes comer 30 gramos de carbohidratos al día durante cinco días y, en el día 6, consumir un poco más de carbohidratos, consumiendo 120 gramos de pizza y helado. Esto es perfectamente aceptable porque, durante una semana, has mantenido, en promedio, un bajo consumo de carbohidratos y azúcar.

Si usas la guía del índice glucémico como una forma sensata de elegir alimentos cuando estás comiendo, entonces estará bien. Como mínimo, significa que al menos tendrás una idea de los alimentos que causan la mayor carga de glucosa en la sangre.

No significa que debas omitir todos los alimentos que tienen un IG alto. Algunos de esos alimentos son realmente sabrosos. Por ejemplo, las chivirías tienen un índice glucémico ligeramente más alto que el pastel de chocolate. Es solo sobre proporciones.

Unas palabras más sobre la grasa

A pesar de que docenas de científicos han pasado décadas tratando de establecer un vínculo entre la grasa y la mala salud, no existe actualmente tal vínculo. Sin embargo, la historia de que la grasa es mala para ti, sigue siendo difundida por casi todos los nutricionistas. ¿Por qué hay tal disparidad entre las pruebas y los consejos?

Creo que tiene que ver con la diferencia entre cómo se ha tratado la ciencia de, digamos, la química, en comparación con la ciencia de la nutrición. Estoy usando la química como un ejemplo; podría usar la física o la biología con la misma facilidad.

Elijamos al azar un famoso químico, digamos Marie Curie. Marie Curie llevó a cabo investigaciones sobre la radiactividad, que sigue siendo el fundamento y la base de esa ciencia hoy en día, en particular el proceso por el cual los átomos inestables pierden energía al emitir radiación. Descubrió el radio y el polonio, y su trabajo se aplicó tanto a los rayos X como a la radiología. Su trabajo y sus experimentos son de dominio público, y como toda buena ciencia, su trabajo es desafiante y, en algunos casos, ha sido anulado por nuevos conocimientos. Si la gente decidiera hacerlo, podrían replicar los experimentos de Marie Curie.

Contrasta esto con la nutrición, que difícilmente puede ser llamada una ciencia. La mayor parte del pensamiento nutricional no se basa en hechos sólidos e identificables basados en la evidencia, y aunque se podría nombrar a un químico famoso como Curie o a un físico famoso como Einstein o Hawking, no hay nadie en el campo de la nutrición cuyo trabajo haya sido tan riguroso y meticulosamente documentado como para poder desafiarlo o verificarlo a través de más experimentos.

No ha sido una ciencia, en parte porque es muy difícil llevar a cabo experimentos fuera de un laboratorio con seres humanos.

Debido a esto, en lugar de una ciencia sólida, los charlatanes a veces han gobernado el gallinero.

Aquí hay una lista de algunas de las dietas que han surgido en las últimas tres décadas. No he inventado ninguna de ellas. La dieta de alimentos crudos, la dieta alcalina, la dieta del tipo de sangre, la dieta del hombre lobo, la dieta de las galletas, la dieta de los cinco mordiscos, la dieta de la limpieza maestra, la dieta de los alimentos para bebés, la dieta de la sopa de col, la dieta de la Bella Durmiente (que exhorta a las personas a tomar pastillas para dormir para permanecer dormidos más tiempo porque si estás dormido no estás comiendo).

Podría seguir por páginas con esta lista, pero es demasiado deprimente. Casi cada una de estas dietas es, científicamente hablando, una tontería o simplemente peligrosa.

Así que no es de extrañar que la teoría de que el alto contenido de grasa causa aumento de peso y muerte prematura se haya afianzado tan firmemente. Al menos hay un gran cuerpo de evidencia (sesgada) detrás de esto de los científicos que han tendido a ignorar o bajar los resultados que no apoyaban sus teorías.

El hecho de que la mayoría de los investigadores hayan borrado las pruebas que contradicen sus creencias y que exista un conjunto aún más grande de pruebas que o bien no encuentran ningún vínculo entre la grasa y las enfermedades cardíacas o bien muestran un vínculo entre los carbohidratos y la mala salud, es parcialmente irrelevante. La hipótesis de las grasas ganó fuerza con Ancel Keys y todavía permanece en el pensamiento nutricional.

Hoy en día, gran parte de nuestros consejos nutricionales establecen que debemos evitar comer altas cantidades de carbohidratos (particularmente azúcar) y que debemos evitar las grasas no saludables, pero incluso esto es engañoso, ya que la evidencia de que cualquier tipo de grasa causa problemas de salud también es difícil de encontrar.

¿Entonces, qué deberías hacer?

Simplemente, sigue una dieta equilibrada y saludable. Ten en cuenta los elementos que ejercen una carga excesiva sobre tus niveles de glucosa en sangre y los minimiza. La mayoría de tu dieta debe consistir en grasas y proteínas en un porcentaje mucho mayor que los carbohidratos. Yo diría que una pauta saludable es obtener no más de un tercio de tus calorías de los carbohidratos, y debes realizar grandes esfuerzos para evitar el azúcar.

Por qué deberías reducir los azúcares

Nunca olvidaré esta experiencia. Hace un par de décadas, mi trabajo me llevó a Gran Bretaña y a una pequeña y encantadora ciudad llamada Coventry. Desafortunadamente, un caso desagradable de gripe gástrica me dejó deprimido. Visité a un médico que me ayudó increíblemente.

En la pared, mostró con orgullo un certificado de graduación, incluido el año en que se graduó. Hice un cálculo mental y deduje que su año de graduación lo hacía tener al menos 70 años, sin embargo, parecía un hombre saludable de unos 50 años. Le pregunté cuál era su secreto. Él dijo: "El azúcar es el enemigo", y luego describió cómo había erradicado despiadadamente el azúcar de su dieta.

Esto es particularmente importante porque, en promedio, los estadounidenses consumen alrededor de 30 cucharaditas de azúcar al día. La Asociación American del Corazón (AHA) recomienda que los hombres no deben consumir más de nueve cucharaditas al día y las mujeres solo seis. Es interesante notar que, en los últimos 30 años, el consumo de azúcar en adultos ha aumentado en más del 30%, y también los niveles de obesidad.

Si bien los estudios continúan sobre los efectos del azúcar, la evidencia hasta ahora es fuerte. Un exceso de azúcar en tu dieta durante un período prolongado de tiempo equivale a dosificar con un veneno de acción lenta.

En primer lugar, tiene un impacto inmediato en los niveles de glucosa en sangre. En segundo lugar, el hígado tiene que trabajar horas extras para convertir el azúcar consumido en forma de sacarosa, fructosa o lactosa en glucosa para pasar al torrente sanguíneo. Si hay un exceso de azúcar consumido en el cuerpo, se sabe que las personas padecen lo que se conoce como cirrosis hepática no alcohólica, una enfermedad devastadora que potencialmente requiere reemplazo hepático.

El azúcar también es altamente adictivo. Cuando lo consumimos, activamos los centros de recompensa del cerebro y nuestros cuerpos liberan una gran cantidad de dopamina, lo que te hace sentir motivado, entre otras cosas. Estos sentimientos son altamente adictivos (incitar al centro de recompensa en el cerebro es uno de los diseños principales de los videojuegos).

Si eres adicto al azúcar, obtendrás algo llamado antojos de azúcar, sentimientos que van más allá de una simple hambre y que se han descrito como casi un bulto físico en la boca del estómago. En cualquier dieta (pero en particular un régimen de ayuno intermitente), estos antojos pueden destruir tu fuerza de voluntad y hacer que rompas tu ayuno intermitente, así que es mejor evitarlo.

El azúcar no tiene valor nutricional y a veces se le llama calorías vacías. No hay proteínas ni minerales ni vitaminas en el azúcar. Ni siquiera es necesaria para obtener energía porque nuestros hígados son expertos en convertir otros carbohidratos e incluso grasas en glucosa, el tipo de azúcar que nuestros cuerpos usan como energía.

El exceso de azúcar en la dieta está relacionado con la obesidad, el síndrome metabólico, los niveles altos de insulina, las enfermedades cardíacas, la inflamación alrededor del cuerpo e incluso una variedad de enfermedades neurodegenerativas como el Parkinson y el Alzheimer.

Dado que el azúcar se encuentra en muchas opciones de productos en el supermercado, puede que se sorprenda de lo fácil que es consumir de seis a nueve cucharaditas diarias.

Hay algunos profesionales médicos (como mi médico amigo de Coventry) que abogan por la erradicación del azúcar de su dieta debido a sus efectos nocivos y su naturaleza adictiva. Lo comparan con los cigarrillos en el sentido de que la mayoría de las personas no pueden fumar solo un cigarrillo a la semana porque ese cigarrillo incita todas las reacciones adictivas que hacen querer más.

Ciertamente no estaría haciendo ningún daño a tu cuerpo si dejaras de comer azúcar por completo. Como se mencionó, no tiene ningún propósito nutricional. Incluso si todavía eres un defensor del método de dieta de calorías entrantes y salientes, querrás evitar el azúcar porque tiene calorías, pero no satisface ninguna necesidad nutricional. Es exacto decir que el azúcar se ha convertido en la nueva *bête noire* del mundo de las dietas. No hay casi ninguna dieta que no exhorte a reducir el azúcar o erradicarlo.

En la sociedad actual, es mucho más difícil erradicar el azúcar de lo que debería ser. Mi consejo para ti, es mantener los niveles de seis a nueve cucharaditas (dependiendo de tu género) según lo recomendado por la AHA. Si logras comer menos que esos niveles, eso sería aún mejor. El azúcar merece toda la mala prensa. Si realmente deseas que tu plan de ayuno intermitente funcione (o incluso si solo quieres estar saludable) pero comes altos niveles de azúcar a diario, deberás considerarlo con seriedad.

Ayuno intermitente y ejercicio

Los beneficios del ejercicio pueden ser subestimados. Los beneficios del ejercicio combinado con el ayuno intermitente son aún más convincentes, pero hay que considerar cuidadosamente la cantidad exacta de ejercicio que se realiza, especialmente cuando se está en un período de ayuno.

En esta sección, voy a analizar un par de cosas: en primer lugar, un resumen de por qué el ejercicio es tan bueno para nosotros y, en segundo lugar, cómo combinar el ejercicio de forma segura con tus regímenes de ayuno intermitente.

Pregúntate, ¿qué tipo de ejercicio haces? ¿Haces alguno? ¿Qué tipo de relación tienes con el ejercicio? ¿Eres sedentario, es decir, haces muy poco ejercicio, si es que lo haces? ¿Eres un deportista ligero, dando ocasionalmente un paseo a pie o en bicicleta? ¿O eres un ávido deportista y el ejercicio forma una parte importante de tu rutina diaria? Por último, ¿eres un deportista extremo, por ejemplo, un atleta profesional?

La buena noticia es que cualquier forma de ejercicio es buena para ti, pero hay algunas formas de ejercicio que se adaptan mejor a tu estilo de vida que otras. Voy a examinar más de cerca las rutinas de ejercicio para el principiante o para el que hace poco ejercicio. Para los más experimentados y los atletas profesionales, probablemente tengan sus rutinas de ejercicio cubiertas, pero hablaré de sus tiempos y cómo encajan en un régimen de ayuno intermitente.

Los beneficios del ejercicio

1. Promueve músculos y huesos fuertes. A medida que las personas envejecen, pierden masa y función muscular, y esto puede conducir a lesiones y discapacidades. El ejercicio continuo de forma regular ayuda a reducir esta pérdida muscular y mantiene tu fuerza incluso hasta la vejez.
2. Te hace sentir bien. Se ha demostrado que mejora los buenos sentimientos y calma las emociones de la depresión, la ansiedad y el estrés. También puede mejorar la producción de endorfinas, una hormona que se asocia con sentimientos positivos y una reducción en la percepción del dolor.
3. Se ha demostrado que reduce los niveles de ansiedad. El ejercicio aumenta los niveles de calma.

4. Puede aumentar los niveles de energía. Esto se aplica incluso a las personas que sufren enfermedades.
5. Reduce el riesgo de enfermarse gravemente. El ejercicio se asocia con una reducción del riesgo de enfermedades crónicas y tiene un impacto particularmente positivo en la reducción de la resistencia a la insulina.
6. Puede ayudar a mejorar la memoria. Su efecto es tanto a corto como a largo plazo, y se ha demostrado que mejora las funciones cognitivas casi de inmediato. Además, las personas que hacen ejercicio experimentan menos enfermedades neurodegenerativas, como el Alzheimer
7. Te ayuda a dormir mejor. Un estudio en particular mostró que 20 a 25 minutos de ejercicio al día podrían proporcionar hasta un 65% de mejora en la calidad del sueño.
8. Puede proporcionar un impulso a tu vida sexual. El ejercicio activo y regular puede fortalecer el sistema cardiovascular, mejorar el flujo sanguíneo, tonificar los músculos y mejorar la flexibilidad.

Ayuno intermitente y ejercicios: una combinación hecha en el cielo

Por lo tanto, puedes ver por qué creo que es importante agregar algo de ejercicio a la combinación de vivir una vida saludable, así como el ayuno intermitente.

Hacer ambas cosas simultáneamente duplica algunos de los beneficios. Por ejemplo, he contado cómo el ayuno intermitente puede ayudar a reducir los niveles de glucosa en sangre y mejorar la sensibilidad a la insulina. Hacer ejercicio también hace esto, por lo que obtienes un doble golpe de beneficios para la salud que afectan a uno de los marcadores de salud más importantes que existen.

Incluso con pequeñas cantidades de ejercicio, puedes disfrutar de algunos beneficios, pero para aquellas personas que no hacen ejercicio en absoluto o hacen muy poco ejercicio, voy a sugerirles una rutina que se puede incorporar fácilmente a su régimen de ayuno intermitente.

Porque aquí hay otra clave sobre el ejercicio y el ayuno intermitente. Como ya sabes, el ayuno intermitente te ayuda a quemar grasa, cuando el cuerpo obtiene energía de la grasa almacenada en sus células, en lugar de la glucosa derivada de los carbohidratos. Si ayunas lo suficiente, entrarás en cetosis, donde se está quemando más grasa, pero incluso si no lo haces, el cuerpo seguirá usando la grasa como fuente de energía junto con la glucosa derivada de los carbohidratos.

Si luego agregas una sesión de ejercicio a la mezcla mientras estás quemando grasa, lo más probable es que aumentes la cantidad de grasa que estás quemando y posiblemente pierdas más peso.

Pero si eres un principiante en el ejercicio y de repente comienzas a hacer ejercicio como un demonio, esto será una travesura. Se sabe que una gente extremadamente sedentaria se embarca repentinamente en 20 minutos de trote por día e induce problemas cardíacos. Este no tienes por qué ser tú, y antes de asustarte, no sucede con mucha frecuencia, y se evita fácilmente. Si eres un principiante en el ejercicio y acabas de comenzar un régimen de Ayuno Intermitente, es aún más importante adoptar un enfoque suave a tu plan de ejercicios.

Además, tan importante como siempre, consulta primero con tu médico, especialmente si estás tomando algún tipo de medicamento. Tu médico podrá darte una idea de las precauciones que debes tomar con el ejercicio como resultado de tu condición física y los medicamentos que tomas.

El siguiente trabajo es decidir qué forma de ejercicio deseas hacer. Hay dos tipos de ejercicio a considerar, cardio (abreviatura de cardiovascular) o fuerza. Los ejercicios cardiovasculares están diseñados para ejercitar su corazón y pulmones, así como el resto de su sistema de respiración y circulación sanguínea. Por lo general, los entrenamientos cardiovasculares pueden incluir caminar rápido, trotar, correr a intervalos, andar en bicicleta, un juego de tenis o fútbol, clases de aeróbicos en el gimnasio, cualquier cosa que acelere tu ritmo cardíaco.

Los entrenamientos de fuerza generalmente implican levantar pesas o hacer ejercicios repetidos diseñados para reforzar la masa muscular (como las sentadillas).

El ejercicio cardiovascular sí ayuda a mejorar la fuerza, y los ejercicios de fuerza también pueden contribuir al ejercicio aeróbico, por lo que todo ejercicio tiene un doble propósito.

Como principiante, puede ser mejor comenzar con un poco de ejercicio cardiovascular ligero. No deseas exagerar, especialmente si tienes sedentarismo y sobrepeso. Tu cuerpo simplemente no podría soportarlo.

Comienza simplemente caminando durante cinco minutos al día y haz esto durante una semana. Si crees que puedes aumentarlo la próxima semana a 10 minutos al día, házlo, pero nuevamente, adopta un enfoque suave. Estás alterando los hábitos aquí, y no te acostumbrarás a cambiar de la noche a la mañana.

Si comienzas haciendo una hora al día, estás destinado a fallar. Lo que en última instancia deberías apuntar es al menos 150 minutos de actividad cardiovascular moderada a la semana, o 75 minutos de actividad vigorosa, o una combinación de los dos. Esto es de acuerdo con la AHA, que también recomienda que debe realizar un par de días de entrenamiento de fuerza, de moderada a alta, dos veces por semana.

Pero si eres un principiante absoluto, es posible que desees concentrarte en los ejercicios aeróbicos para comenzar porque necesitarás la habilidad aeróbica para hacer entrenamiento de fuerza. Si bien los períodos cortos de entrenamiento de fuerza (como levantar pesas) elevan la presión arterial, si ya tienes presión arterial alta, es posible que debas evitarla hasta que baje la presión arterial. También se sabe que la actividad cardiovascular, como caminar durante unos minutos al día, reduce la presión arterial, por lo que, al aumentar su fuerza cardiovascular, mejorará tu capacidad para hacer entrenamiento de fuerza. Así es como se vería el enfoque suave de un principiante:

Semana 1

• 5 minutos de caminata normal (camina a tu ritmo normal) durante siete días

Semana 2: caminata normal

• Día 1: 10 minutos

• Día 2: 5 minutos.

• Día 3: 10 minutos

• Día 4: 5 minutos.

- Día 5: 10 minutos
- Día 6: 5 minutos.
- Día 7: 10 minutos.

Semana 3: caminata normal

- 10 minutos todos los días

Semana 4: caminata normal

- Día 1: 15 minutos.
- Día 2: 10 minutos.
- Día 3: 15 minutos.
- Día 4: 15 minutos.
- Día 5: 10 minutos
- Día 6: 15 minutos.
- Día 7: 15 minutos.

Semana 5: caminata normal

- Día 1: 15 minutos.

- Día 2: 20 minutos.

- Día 3: 15 minutos.

- Día 4: 20 minutos.

- Día 5: 15 minutos.

- Día 6: 20 minutos.

- Día 7: 20 minutos.

Semana 6: caminata normal

- Día 1: 20 minutos

- Día 2: 25 minutos.

- Día 3: 20 minutos.

- Día 4: 25 minutos.

- Día 5: 20 minutos.

- Día 6: 25 minutos.

- Día 7: 20 minutos.

Y ahí lo tienes. En seis semanas de una acumulación gradual, haz logrado una tasa de ejercicio de 155 minutos a la semana, alcanzando la cantidad de tiempo recomendada por la AHA.

Lo has hecho agradable y fácil. Algunas personas verán esto y pensarán que es demasiado fácil, pero recuerden, esto está dirigido principalmente a personas sedentarias, con sobrepeso y generalmente fuera de forma. Si has completado las seis semanas, ahora puedes divertirte cambiando las cosas.

En primer lugar, recuerda, tiene que ver con tu estilo de vida y tu régimen de ayuno intermitente. Hacer ejercicio durante 20– 25 minutos al día debería ser posible para todos, pero si deseas un día de descanso (o incluso dos), continúaa. Todo lo que tienes que hacer es hacer un poco más de ejercicio, cada uno de los días que lo haces.

Volvamos al modelo de ejercicios para principiantes y descubramos lo que puedes hacer ahora para aumentar la intensidad de tu ejercicio. Lo más fácil es agregar un poco de caminata rápida a la rutina. Por caminar rápido, me refiero a caminar más rápido que tu ritmo normal. Camina a un ritmo en el que aún puedas hablar si lo necesitas, pero puedes sentir que tu ritmo cardíaco ha aumentado y estás respirando con más fuerza. No es difícil, y lo dominarás bastante rápido.

Tu séptima semana podría verse así:

Semana 7: caminata rápida y normal

• Día 1: 5 minutos de caminata normal, 5 minutos de caminata rápida, 5 minutos de caminata normal, 5 minutos de caminata rápida.

• Día 2: 5 minutos de caminata normal, 10 minutos de caminata rápida, 10 minutos de caminata normal.

• Día 3: 5 minutos de caminata normal, 10 minutos de caminata rápida, 5 minutos de caminata normal.

• Día 4: 5 minutos de caminata normal, 10 minutos de caminata rápida, 10 minutos de caminata normal.

• Día 5: 5 minutos de caminata normal, 10 minutos de caminata rápida, 5 minutos de caminata normal.

• Día 6: 5 minutos de caminata normal, 10 minutos de caminata rápida, 10 minutos de caminata normal.

• Día 7: 5 minutos de caminata normal, 10 minutos de caminata rápida, 5 minutos de caminata normal.

Puedes hacerlo durante otras cuatro semanas, aumentando gradualmente la proporción de caminata rápida a normal. Si estás listo, puede agregar una actividad aeróbica más intensa, por ejemplo, trotar durante cinco minutos cada dos días, luego caminar a paso ligero durante cinco minutos y luego completar el resto de tu rutina de ejercicios caminando normalmente.

Un punto importante a tener en cuenta, cuando comienzas a hacer más ejercicio de alta intensidad, es comenzar a calentar de manera efectiva haciendo una serie de ejercicios de estiramiento, particularmente en los músculos que vas a usar. Si va a caminar o trotar a paso ligero, asegúrate de estirar lentamente las piernas y luego estíralas más una vez que estén un poco más calientes.

Siempre comienza el período de trote con una caminata normal para acostumbrar tu cuerpo a una frecuencia cardíaca elevada.

Creo que ahora estás en condiciones de resolver el resto por tí mismo. Eventualmente, es posible que desees establecerse el objetivo de realizar 30 a 40 minutos de actividad aeróbica dura, como trotar o jugar tenis simple, y una hora más o menos de la actividad menos aeróbica para el ejercicio moderado.

Cuando se trata de ayuno intermitente, debes tener cuidado con el lugar donde realizas tus ejercicios, dependiendo de qué régimen de ayuno intermitente esté haciendos y qué tipo de ejercicio estés haciendo.

Hay un tema aquí. Es un deseo natural hacer ejercicio hacia el final de tu sesión de ayuno intermitente cuando tu cuerpo está quemando la mayor cantidad de grasa. Por otro lado, debes considerar cuánto puedes manejar al final de una sesión de ayuno.

No debería haber ningún problema con hacer un poco de ejercicio moderado al final de su sesión de ayuno, y debería ser beneficioso para ti, pero si realmente lo haces con sesiones de mucho peso o con una carrera intensa o ciclismo cuesta arriba, puede que quieras pensar en el mejor momento para hacerlo.

Puede ser mejor limitar la sesión más exigente a tus días o tiempos de ayuno.

En resumen, debe comenzar con ejercicio moderado. Además, planifica tu sesión de ejercicios ligeros justo cuando tu sesión de ayuno intermitente está llegando a su fin, si esto es posible, por supuesto. Para entrenamientos más intensos, debes planificar estas sesiones en los días en que no ayunas o cuando tu ayuno ha terminado. Por ejemplo, si estás en un ayuno de 16: 8 y tu ayuno termina a las 2:00 p.m., no hay nada de malo en hacer una sesión de ejercicio pesado dos o tres horas más tarde.

El Sueño y el ayuno intermitente

Llegamos al último de los tres ingredientes de un estilo de vida saludable (los otros son opciones saludables de alimentación y ejercicio): dormir.

Pasamos aproximadamente un tercio de nuestra vida durmiendo. El sueño cumple una serie de funciones muy importantes para el bienestar de un cuerpo sano. Ayuda a aliviar y reconstruir músculos, tejidos y células cansados. Limpia el cerebro de sustancias químicas que, si permanecen demasiado tiempo en el cerebro, pueden dañar su funcionamiento y, a largo plazo, provocar enfermedades neurodegenerativas. Nos ayuda a almacenar y procesar nuestros recuerdos para que podamos entender el mundo más plenamente. Casi parece fatigoso declarar cuán importante es dormir. Sin embargo, muchos de nosotros hemos caído en malos hábitos de sueño. Subestimamos la importancia de una noche de sueño regular. Priorizamos Netflix sobre la siesta y sufrimos por ello al día siguiente.

Es desconcertante por qué ha sucedido esto. Sospecho que es debido a nuestro estilo de vida moderno, que es muy diferente de las formas del cazador-recolector o incluso la vida de nuestros antepasados antes de la Revolución Industrial. El mayor cambio se produjo con la llegada de la iluminación eléctrica. Antes de eso, nuestros cuerpos tenían más control sobre nuestros patrones de sueño. Soy uno de las personas que duermen mal y poco, y siempre lo he sido.

Sin embargo, hace unos años, hice un viaje de campamento en Francia, y parte del viaje consistió en pasar dos noches durmiendo bajo las estrellas. Además de unas pocas antorchas repartidas por el lugar, había una ausencia total de luz artificial. Era una hermosa tarde clara; Las estrellas eran increíbles. Nos lo pasamos muy bien y nos quedamos dormidos entre las 8:00 y las 9:30 p.m., cada uno de nosotros. Nos despertamos alrededor de las 5: 00–5: 30 a.m. cuando amaneció. Todos estábamos sorprendidos porque en casa la mayoría de nosotros, no nos íbamos hasta la medianoche y más allá. La falta de luz artificial hizo una gran diferencia. Los patrones de sueño eran completamente diferentes.

Entonces, la cantidad de luz es un factor. No solo las casas iluminadas artificialmente, sino también los teléfonos inteligentes, iPads y similares contribuyen a esto. Han afectado seriamente nuestros patrones de sueño, han afectado seriamente nuestro sueño. Las ramificaciones de no dormir lo suficiente son tan importantes como tener una dieta pobre o no hacer ejercicio. Lo que comemos, cómo dormimos y cuánto nos movemos, estos son el triunvirato de una vida saludable.

Lo que voy a detallar ahora son los efectos de no dormir lo suficiente en tu cuerpo, el papel que el ayuno intermitente puede jugar con tus patrones de sueño y cómo el sueño y el ayuno intermitente pueden complementarse entre sí.

En primer lugar, se recomienda que duermas entre siete a nueve horas todos los días. La falta de sueño es el estado de no obtener la cantidad de sueño que necesita tu cuerpo. Nuestros cuerpos necesitan cuatro cosas para funcionar: aire, agua, comida y sueño. Un artículo de revisión publicado en 2002 conecta la privación del sueño con el riesgo de muerte prematura.

No es fácil hacer ejercicio cuando tienes sueño. Te sentirás demasiado somnoliento durante el día, estarás irritable y sufrirás agotamiento durante el día. El agotamiento durante el día es diferente de sentirse somnoliento. El cansancio durante el día es cuando sientes que todo lo que haces es como caminar por melaza, mientras que la somnolencia diurna es literalmente la sensación de caerse o terminar dormido. Aquí hay un desglose del impacto de no dormir lo suficiente.

El sistema nervioso central está compuesto por el cerebro y la médula espinal. El cerebro es, de alguna manera, el órgano más complejo del cuerpo y absorbe el 20% del oxígeno total que respiramos para funcionar. El sistema nervioso central controla nuestros pensamientos, deseos, movimientos y emociones. Incluye todas las fibras nerviosas que atraviesan el cuerpo, transmitiendo mensajes del cerebro al resto del cuerpo. Es absolutamente esencial para un ser humano que funciona normalmente.

Es particularmente difícil en una persona que sufre de falta de sueño. Una persona con falta de sueño tendrá más dificultades para concentrarse o aprender algo nuevo. Sus habilidades cognitivas se ven obstaculizadas o retrasadas porque las señales enviadas por el sistema nervioso central se retrasan o se detienen.

De ello se deduce que la falta de sueño tiene el potencial de afectar su coordinación y aumentar las posibilidades de tener accidentes. Afecta tus habilidades mentales y tu estado emocional. Las personas que carecen de sueño sufren cambios de humor, son más impacientes y muestran una toma de decisiones y creatividad deterioradas. La falta continua de sueño puede provocar depresión e incluso pensamientos suicidas.

También puede inducir micro-sueños, pequeños períodos de sueño que oscilan entre dos segundos y dos minutos, lo cual no es absolutamente ningún problema si estás en casa. En una reunión en el trabajo, es vergonzoso, pero si manejas para vivir o manejas maquinaria pesada, es muy peligroso.

La falta de sueño daña nuestro sistema inmunológico. Ya he hablado sobre los beneficios que el ayuno intermitente puede aportar al sistema inmunitario, pero la falta de sueño puede debilitarlos a todos. La falta de sueño evita que su sistema inmunitario acumule sus fuerzas y construya nuevas citocinas, sustancias que identifican y combaten bacterias y virus. Sin dormir lo suficiente, es posible que tu cuerpo no pueda combatir a estos invasores, y puede tomar más tiempo recuperarse de las enfermedades.

El sueño y el sistema digestivo

Ya hemos discutido la leptina y la grelina, las hormonas que regulan el hambre y la saciedad. La privación del sueño afecta el nivel de estas hormonas vitales. De hecho, se ha demostrado que sin dormir lo suficiente, el cerebro reduce la producción de leptina y aumenta los niveles de grelina. Con la falta de leptina para informarte cuando estás lleno y demasiada grelina que le indica que tienes hambre, no sorprende que la falta de sueño esté relacionada con un aumento del apetito. El juego cruzado entre estas dos hormonas puede proporcionar una explicación para los refrigerios nocturnos o los atracones nocturnos.

Cuando estás cansado, no quieres hacer ejercicio. Estás agotado. Además, la falta de sueño hace que el cuerpo libere más insulina cuando comes.

Sueño y riesgo cardiovascular

La falta de sueño aumenta los niveles de glucosa en sangre, los niveles de insulina y la presión arterial. También aumenta la inflamación. No es de extrañar que las personas que no duermen bien tengan más probabilidades de contraer enfermedades cardíacas.

Sueño y hormonas

La falta de sueño afecta la producción de hormonas. En particular, despertarse durante la noche puede afectar la producción de la hormona del crecimiento. Este es un gran problema para los niños y adolescentes con falta de sueño.

Por ahora, entiendes la esencia. Dormir bien por la noche es fundamental, pero para muchas personas, es más fácil decirlo que hacerlo.

Los niveles de glucosa en sangre, los niveles de insulina, las enfermedades cardíacas, la inflamación, la presión arterial, la grelina y la leptina son los factores afectados por la falta de sueño. ¿Te resulta familiar esta lista? Debería, porque todos son factores que benefician el ayuno intermitente, un incentivo aún mayor para garantizar que ayunes y duermas bien.

Antes de pasar al papel que desempeña el Ayuno Intermitente en una buena noche de sueño, aquí hay algunos otros consejos. Si realmente estás interesado en este tema, hay docenas de excelentes libros sobre el tema y buenos sitios web también.

Consejos para dormir bien por la noche

Intenta limitar las siestas durante el día. Puedes estar agotado durante el día, especialmente si tienes privación crónica del sueño. Tengo dos hijos pequeños y, por desgracia, mis patrones de sueño ocupan el segundo lugar cuando están enfermos. La tentación de tomar una siesta en el día es fuerte. Pero si lo hago, me cuesta dormir por la noche. Solo estoy hablando de personas que no duermen lo suficiente. Si la siesta es parte de tu rutina, entonces no habría problema.

1. cafeína. Trata de no tomar cafeína después de la 1:00 p.m. Esto le dará suficiente tiempo para salir de tu sistema. Encontrarás cafeína no solo en el café, sino también en el té y ciertos refrescos.

2. Rutina regular. Acuéstate a la misma hora todas las noches y despiértate a la misma hora todas las mañanas. Esto solo ayuda a tu cuerpo a acostumbrarse a una rutina y a ese tema. Trata de seguir el mismo horario durante los fines de semana y feriados.

3. Relájate antes de acostarse. Pasa una hora antes de acostarte haciendo algo relajante, como bañarse, leer, meditar o cualquier cosa que te relaje.

4. Comidas pesadas. Trata de evitar comidas excesivamente pesadas una hora antes de acostarte.

5. Dispositivos electrónicos. Deja de usar tus dispositivos electrónicos al menos media hora antes de acostarte.

6. Ejercicio. Haz ejercicio regularmente, pero no hagas ejercicio justo antes de acostarte y esperes quedarse dormido de inmediato.

7. Dispositivos móviles y electrónicos apagados cuando estás dormido. Si te despiertas por la noche y revisas las redes sociales, has interrumpido por completo tus patrones de sueño y aumentado la probabilidad de permanecer despierto por más tiempo.

8. Temperatura. Asegúrate de que tu habitación no sea demasiado cálida. Cuando nos quedamos dormidos, la temperatura de nuestro cuerpo baja de uno a dos grados. Una habitación demasiado cálida interfiere con esto y nos mantiene despiertos. Además, es totalmente incómodo. Por otro lado, tampoco conviertas tu habitación en una nevera.

9. Erradicar la luz. Asegúrate de que haya poca luz en su habitación como sea posible. Estoy hablando de todo aquí. Si entra luz artificial desde el exterior, invierte en cortinas opacas. Si tienes problemas para dormir, serán la mejor inversión que hayas hecho. Pero también evita las pequeñas luces que pueden estar salpicadas alrededor de la habitación. Por supuesto, lo más obvio es la luz emitida por los dispositivos inteligentes. La luz azul que emiten es un no particular, también, cosas como los pequeños puntos rojos en la televisión o el brillo de un reloj despertador. Deshazte de ellos u ocúltalos porque todos podrían interrumpir tu sueño. Todas estas cosas pueden tener un efecto en tu sueño. El objetivo es erradicar la luz artificial tanto como sea posible, tal como solía ser.

10. Ejercicio. Como ya se mencionó, el ejercicio puede ayudarte a conciliar el sueño más rápidamente y puede reducir los episodios de vigilia nocturna. Solo ten cuidado de no hacer ejercicio demasiado cerca de tu hora de acostarte. Un mínimo de un par de horas antes debería ser suficiente.

11. Evitar el alcohol. Esto es engañoso porque el alcohol es un depresivo y puede hacer que se sienta somnoliento. La tentación de algunas personas es tener una pequeña gota de algo para ayudarse a dormir. Pero incluso pequeñas cantidades pueden tener un efecto negativo en la calidad de su sueño, ya que interfiere con la actividad cerebral durante el sueño. También puede causar o aumentar los síntomas de la apnea del sueño. Finalmente, aunque puede hacer que algunas personas se duerman, también puede inducir episodios de vigilia nocturna.

12. Comodidad. Asegúrate de estar durmiendo en una cama cómoda. Asegúrate de que el colchón sea adecuado para ti y de tener almohadas cómodas.

Cómo el ayuno intermitente beneficia el sueño

Los estudios sugieren que el ayuno intermitente puede ayudar a dormir bien por la noche. Es interesante pensar en el Ayuno Intermitente y dormir juntos porque dormir es ayunar. De todos modos, los beneficios que obtienes del ayuno intermitente son inherentes al sueño. Algunos pueden llevar esta línea de pensamiento demasiado lejos.

Incluso hubo un plan de dieta completamente ridículo que exhortaba a las personas a tomar pastillas para dormir y aumentar la cantidad de tiempo que pasan durmiendo porque si estás durmiendo, no estás comiendo. Me alegra decir que esta dieta no ganó adeptos y ahora está en el basurero de la oscuridad, donde merece estar.

Pero el ayuno intermitente seguro ayuda al cuerpo a prepararse para dormir. Comer demasiado tarde en la noche o tener un cuerpo que digiere continuamente los alimentos durante el día puede interferir con una buena noche de sueño.

También hay algo llamado ritmo circadiano (o el reloj circadiano de 24 horas), un ciclo diario de actividad fisiológica y biológica dentro del cuerpo, también conocido como el reloj biológico interno del cuerpo. Nuestros ritmos circadianos controlan nuestros ciclos de sueño y vigilia cada 24 horas. Es por eso que, si ha dormido mal durante la noche, es posible que estés relativamente alerta durante la mañana porque el ritmo circadiano se ha activado. El cuerpo produce las hormonas que nos mantienen alertas e incluso eleva los niveles de glucosa en la sangre para una rápida liberación de energía. Sin embargo, la falta de sueño eventualmente se activará, y cuanto más privado estés de sueño, menos alerta te sentirás durante todo el día.

Se cree que el ayuno intermitente fortalece los ritmos circadianos, y un reloj circadiano que funciona más regularmente puede significar que podamos dormir más fácilmente, permanecer dormidos por más tiempo y sentirnos más frescos cuando nos despertemos. De hecho, los estudios demuestran que el ayuno intermitente puede reducir los despertares durante la noche.

Hay algunos defensores del ayuno intermitente que afirman que no tienes que hacer nada con tus hábitos alimenticios actuales en un régimen de Ayuno Intermitente, pero esto simplemente no es exacto. tu ayuno intermitente no existe en forma aislada del resto de su cuerpo. No puedes llenarte la boca de alimentos ricos en carbohidratos, azúcar y calorías todo el tiempo sin sentir las consecuencias. tus niveles de glucosa en la sangre irán por las nubes y tu capacidad para quemar grasa se verá obstaculizada por la insulina. Como resultado, aumentarás de peso. El ayuno intermitente puede mitigar algunas de estas consecuencias, pero no por completo.

Del mismo modo, si deseas sentirte más saludable, aunque el ejercicio no es absolutamente esencial, fortalecerá tu corazón, aumentará tu tasa metabólica, fortalecerá tus músculos y simplemente te hará sentirte mejor.

Puedes notar que no he relacionado el ejercicio con la pérdida de peso. Eso es porque, a pesar de un siglo de intentos, hay poca evidencia de que el ejercicio te ayude a perder peso. Este es otro de esos "hechos" nutricionales que no es un hecho en absoluto. Puedes ser incrédulo al leer esto, y no te culpo.

Todavía nos dan toneladas de malos consejos sobre el ejercicio y la pérdida de peso, por lo que mi discurso puede ir en contra de lo que piensas.

Pero repito, casi no hay evidencia que relacione el ejercicio con la pérdida de peso. Afortunadamente, los consejos dietéticos se están poniendo al día con la ciencia. La Asociación Americana del Corazón (AHA) describe los beneficios del ejercicio, y aunque solían decir que el ejercicio era esencial para perder peso, ahora describen el ejercicio como "promover un menor aumento de peso", una distinción importante. En el Reino Unido, el sitio web del Servicio Nacional de Salud, uno de los más respetados en el mundo, también ha modificado lo que dice acerca las ventajas del ejercicio. Es una lista larga porque el ejercicio es fantástico, pero ha eliminado cualquier referencia a una conexión entre el ejercicio y la pérdida de peso.

Capítulo 7: Por qué falla el ayuno intermitente

La historia de Danny

Soy un gerente de ventas de 29 años y sobrepeso de 30 libras. No siempre fue así. Hasta los 25 años, estaba tan delgado como un rastrillo y orgulloso de ello. Heredé el rasgo familiar. Mi mamá y mi papá siempre fueron grandes, al igual que mis abuelos por ambos lados. Mis hermanas y hermanos también son grandes.

Cuando comencé a engordar, pensé, sí, tal vez eran mis genes, o tal vez fue mi cambio de trabajo. Trabajaba en una oficina, solía caminar hasta allí también, tres millas hasta allí y de regreso. Yo era feliz. Luego me ascendieron y fui aún más feliz. Ya no estaba en una oficina. Todos los días conducía a través de los condados para visitar a mi equipo. Pasaba mucho tiempo en mi auto y regresaba tarde en la noche.

Solía jugar fútbol, bádminton y squash. Todo eso se detuvo. Estaba demasiado ocupado o demasiado cansado. No sé si tuve algunos malos hábitos alimenticios; es algo en lo que nunca tuve que pensar antes. Todo lo que sé es que comí mucho McDonald's en el auto o lo que fuera rápido y fácil del refrigerador. Amaba mi trabajo, pero dejé de amar mi cuerpo.

Luego, en un mes, tuve dos grandes conmociones. A mi hermano mayor le diagnosticaron cáncer de estómago. Una semana después, mi papá murió de un ataque al corazón. Dos años después, mi hermano está en plena remisión, pero todos todavía sentimos el impacto de la pérdida de mi padre. Tenía 62 años, no era grande en absoluto.

Aunque no hablamos mucho al respecto, todos sentimos que la muerte de mi padre y el cáncer de mi hermano tenían algo que ver con su tamaño.

Una noche, cuando volvía del trabajo, me detuve en una gran tienda. Caminando por la sección de libros camino al comedor, escuché un ruido. Un libro se había caído de su estante detrás de mí. Lo recogí y lo miré. Se trataba del ayuno intermitente. Tal vez fue el destino. Lo compré y esa noche lo leí. Pensé, ¿por qué no probarlo?

Así que hice un ayuno de días alternos y reduje mis calorías en mis días de comida, tal como el libro decía que debería hacerlo. No como nada en un día, y al siguiente como 1,800 calorías.

El primer día fue horrible, y esa noche no pude dormir. Tenía mucha hambre. El segundo día, comí la mayoría de mis 1.800 calorías a la hora del almuerzo. Me fui a la cama muriendo de hambre otra vez. Al día siguiente, tuve un largo viaje por la mañana. Estaba cansado, de mal humor y con frío. Cuando llegué a mi destino, me detuve en un McDonald's. Entré allí solo queriendo un café. Pero cuando llegué al mostrador, sucedió algo y compré tanto que me da vergüenza contar esta historia. También me avergonzaba comprarlo, pero eso no me impidió comerlo todo.

Me rendí, por esa semana. Después de reflexionar un poco, intenté nuevamente, pero esta vez en los días de ayuno, comí 600 calorías, y en los días normales, lo incrementé hasta 2,000 calorías. Hizo la diferencia. Al final de la semana, había perdido cinco libras y estaba súper feliz.

Pero todavía me iba a la cama con hambre, y todavía me sentía malhumorado todo el día. De igual manera, pasé mucho tiempo solo en el auto. A mediados de la segunda semana, conducía de regreso a casa. De repente, fui golpeado por una ola de hambre tan fuerte que me sentí con un nudo en la garganta. Me detuve en un restaurante y comí como un caballo.

Comí mal el resto de la semana, y cuando pisé la balanza, las cinco libras que había perdido volvieron a subir, más otras dos libras.

Lo intenté nuevamente la semana siguiente, pero mi corazón no estaba en eso y caí después de un par de días.

Eso fue todo para mí. Prometí que volvería a hacerlo la semana siguiente, la semana siguiente y la semana siguiente, pero nunca lo hice. Nunca he sentido hambre como esa noche.

Me uní a un foro de ayuno intermitente para ver si alguien más había sentido esa sensación, pero nadie dijo que sí. Hablé con un par de personas, y me dijeron que no debería haberme metido en eso. Pero no lo veo así. Creo que fue la reducción de calorías lo que no me ayudó. Aprendí en el foro que reducir calorías y el ayuno intermitente es un mal movimiento. Solo desearía haberlo sabido antes de comenzar, ese estúpido libro.

Tal vez lo intente de nuevo algún día. Tal vez. Todavía tengo el peso que perder. Una cosa buena: comencé a pesarme todos los días y no me detuve. De alguna manera, eso me ha hecho pensar en mis elecciones de alimentos más de lo que solía hacerlo, y en los últimos seis meses, no he engordado más. Eso me gusta. Fin.

***

Como defensor del ayuno intermitente y alguien que ha disfrutado de la pérdida de peso y no lo ha logrado, tuve la suerte de comenzar bien. Pero he hablado con personas y leído informes anecdóticos de personas que lucharon con él y lo abandonaron. Una de esas personas es un amigo mío llamado Dominic. (Ese no es su nombre real. Si bien accedió a dejarme contar su historia, me dijo que si usaba su nombre real ¡me estrangularía mientras dormía!)

Dominic es un gran tipo, pero cuando escuchó que estaba intentando un régimen de ayuno intermitente, fue bastante despectivo. "No funciona", declaró. Cuando le pregunté qué quería decir, lo que realmente debería haber dicho fue que no funcionó para él. Lo intentó y no siguió adelante. Si no fuera por mi exhaustiva investigación sobre el tema, podría haber tomado su declaración de la manera incorrecta. Podría haber pensado: Bueno, si no funcionó para mi amigo, no funcionará para mí.

Pero sé que él tenía buenas intenciones. Sin embargo, ese es el problema con el mundo: muchas personas tienen buenas intenciones, pero en realidad no lo hacen bien. Dominic podría haberme deseado suerte. Podría haberme hablado sobre sus experiencias o, después de haber perdido peso, descubrir qué había hecho diferente de lo que él había hecho.

Hablé con Dominic cuando comencé a escribir este libro, y él estaba feliz de compartir sus experiencias. Así que aquí hay una lista basada no solo en la experiencia de Dominic sino en muchos otros informes anecdóticos sobre por qué el ayuno intermitente puede fallar.

Razones por las cuales el ayuno intermitente falla

1. Comienzas demasiado duro.

Ya lo comprendes, ¿no? No importa el consejo de comenzar lentamente. Deseas perder peso rápidamente y sabes cómo hacerlo. Nada de estas tonterías de saltearse una comida para ti. Deseas llegar al final e ir por un ayuno de 36 horas.

Esto es exactamente lo que hizo Dominic, y su experiencia es más común de lo que debería ser. Si nunca antes has intentado el ayuno intermitente e inmediatamente elige una de las formas más extremas de ayuno intermitente (se llama la dieta guerrera, ¿no debería darte una idea de lo difícil que será?), es muy poco probable que vayas a tener éxito.

Dominic lo aguantó por 12 horas. Irónicamente, si se hubiera salteado una comida, también habría durado 12 horas, pero para él, todo fue un fracaso. Se rindió y no volvió a intentarlo. No profundices demasiado al principio. No te estás haciendo ningún favor. De hecho, todo lo que estás haciendo es prepararte para el fracaso. Comienza con cautela con un plan que te convenga.

2. No piensas lo suficiente en el régimen adecuado para ti.

He presentado una serie de planes disponibles para ti y ya has visto cuántas variaciones hay disponibles.

Volvamos a Dominic y su ambicioso plan de 36 horas. A Dominic le encanta hacer ejercicio, especialmente el entrenamiento con pesas. ¡Todos los días, antes de comenzar a trabajar, va al gimnasio! Así de dedicado es él. El único consejo que siguió al comenzar el ayuno fue no hacer demasiado ejercicio. Como resultado de comenzar su ayuno en la mañana, no pudo hacer su preciado entrenamiento temprano en la mañana.

No hay gran parte de tu rutina que no se vea afectada por un ayuno de 36 horas, pero lo que podría haber hecho es comer normalmente por la mañana, lo que le permite hacer su entrenamiento y luego comenzarlo después de eso. Este es el tipo de cosas que debes considerar con cualquier plan que hagas.

Tendrás muchas más posibilidades de éxito en un plan que ofrezca una interrupción mínima a tu estilo de vida. Un ayuno matutino me queda perfecto porque he dormido 8 horas, y un ayuno de 16 o 18 horas no me parece tan difícil porque solo son 8-10 horas de vigilia. Creo que es por eso que un plan que implica saltarse el desayuno es la elección de tantas personas.

Piensa en tus rutinas y rituales, y determina qué es lo mejor para ti. Si eliges el plan adecuado que se adapte a tu estilo de vida, tendrás un comienzo de lucha. Si no lo haces, ya estás luchando, lo que aumenta sus posibilidades de darte por vencido antes de darle una oportunidad.

3. Compensas en exceso cuando finaliza tu ayuno.

Si has omitido una comida, puede ser tentador comer más de lo que normalmente haces cuando sales del período de ayuno, y esto puede llevarte a un episodio de comer en exceso. Cuando termines tu ayuno, está perfectamente bien comer tres veces en tu período sin ayuno, si eso es lo que sientes la necesidad de hacer. Simplemente come raciones sensatas y saludables

Todavía puedes disfrutar de algunos de los beneficios del ayuno intermitente, incluso si tienes una comida muy abundante tan pronto como termine y continúes comiendo, pero debilitará o anulará a las demás. Por ejemplo, la glucosa en sangre se ha mencionado mucho en este libro, y al comer una gran comida, incluso una baja en carbohidratos, estás ejerciendo más presión sobre el sistema de regulación de glucosa en sangre dentro de tu cuerpo y, por lo tanto, aumentas la cantidad de insulina dentro de tu torrente sanguíneo y el tiempo que permanece, especialmente si continúas comiendo grandes cantidades. Come con sensatez y mantén el ritmo. Te sorprenderá lo bien que te sientes si haces esto. Ahora, analicemos la otra cara de esto.

4. Te mueres de hambre durante los períodos sin ayuno.

El ayuno intermitente no es realmente una dieta, más bien es un cambio de estilo de vida. Es tentador pensar, aparte del ayuno intermitente, ¿por qué no probar esta dieta o esa dieta? ¿Por qué no reducir las calorías?

Aplicado con sensatez, la reducción de los alimentos ricos en carbohidratos es un enfoque sensato y encaja bien con el Ayuno Intermitente, pero si se mueres de hambre, si te privas de las calorías que necesitas, experimentarás dolores de hambre importantes y casi insoportables. En particular, si te privas de calorías y agregas una dieta baja en grasas y alta en carbohidratos, de privación de calorías, es probable que incites a una sobreproducción de grelina, y tendrás hambre casi constantemente. Esto se debe a que tus elecciones altas en carbohidratos continúan interfiriendo con la quema de grasa. No te mueras de hambre. Solo come normal y saludablemente.

5. No realizas cambios en tus malas elecciones de alimentos.

No hay forma de evitar esto. Si comes muchos carbohidratos refinados, particularmente azúcar, y continúas haciéndolo mientras estás en ayunas intermitentemente, perderás casi todos los beneficios del Ayuno Intermitente.

Si no realizas cambios en esto, es mejor que lo abandones antes de comenzar. Invariablemente, estas malas elecciones de alimentos son las que te han llevado a donde estás en primer lugar. Si algún defensor del ayuno intermitente te dice que todo lo que necesitas hacer es ayuno y que no necesitas hacer nada con respecto a estas malas elecciones de alimentos, están mintiendo o se han engañado a sí mismos. Piensa bien en lo que comes y deshazte de la basura en tu dieta. Hablaremos sobre la elección de alimentos en el próximo capítulo.

6. Te rindes ante el primer obstáculo.

Eso fue lo que hizo Dominic. Luchó y simplemente se rindió. Tal vez no estés perdiendo tanto peso como te gustaría. Te sientes un poco hambriento, olvidas que estás en el régimen y comes de todos modos (la vida de muchas personas está tan ocupada hoy en día, esto es completamente posible). Todas estas cosas le han sucedido a personas con las que he hablado que han intentado el Ayuno Intermitente por primera vez.

Piensa en cualquier cosa que estés haciendo por primera vez: aprender a conducir, tocar la guitarra, encender una fogata. Cometes errores; eso es perfectamente natural. Dicen que la medida de un ser humano no es cómo reacciona cuando tiene éxito, sino cómo reacciona cuando comete errores.

No dejaste de conducir un automóvil porque reprobaste tu primera prueba (¡si todos hicieran eso, habría muchos menos automóviles en la carretera!) Mi hija de cinco años está aprendiendo a andar en bicicleta sin estabilizadores. Es una alegría verla vestida con cascos y almohadillas. Su primer intento duró cinco yardas antes de que cayera al suelo. Se levantó riendo e intentó de nuevo. Esto sucedió toda la tarde hasta que finalmente, ella recorrió 100 yardas sin ayuda.

Para mí, ella tipificó el enfoque para intentar algo nuevo: tienes que intentarlo. No va del todo según lo planeado. Modifica tu pensamiento e intenta nuevamente. Mi hija pasó por este proceso más de 20 veces.

Si estás buscando el enfoque de Ayuno Intermitente correcto, probablemente no tendrás que probar 20 enfoques diferentes antes de aterrizar en el correcto. Una vez, tal vez dos o tres veces, pero si es más que eso, ¿y qué? El punto es intentar, fallar, resolver lo que salió mal e intentar nuevamente.

Si tu primer régimen no coincide con tu estilo de vida, piénsalo y prueba un régimen diferente. Si eso no funciona, intenta otra cosa. Cometerás errores porque eres un ser humano, y esto es nuevo para ti.

Cometí dos errores cuando comencé. El primero fue entrar demasiado duro y seguir un plan de ayuno en días alternos. El segundo error, fue reducir drásticamente mi consumo de alimentos. No funcionó para mí, así que eché un buen vistazo a lo que me aconsejaron. Me di cuenta de que estaba sobrecompensando con mi reducción de calorías, así que volví a la alimentación normal. Eso fue un poco mejor, pero aún no era lo que necesitaba. Me di cuenta de que mi alimentación "normal" implicaba demasiada comida horrible, así que me deshice de la mayoría de ella (salvo por la indulgencia extraña, una vez por semana), y ahí fue cuando despegó para mí.

Volviendo a mi primer error: entrar con un régimen de Ayuno Intermitente aleterno. Seguí adelante y perdí 20 libras, así que tal vez no fue un error después de todo. Pero luego, después de enfermarme y cancelar el ayuno hasta que recuperarme, me di cuenta de que iba a tener dificultades para continuar con el plan de un día libre, un día no. Así que lo cambié a un plan 16: 8 (técnicamente, es un plan medio 16: 8 y medio 18: 6), y ahí es donde estoy ahora, perdiendo peso continuamente.

No te rindas si caes ante el primer obstáculo o el segundo o incluso el tercero. De hecho, simplemente no te rindas.

7. Tus objetivos no son realistas.

Es posible que hayas decidido que vas a perder siete libras por semana, bajarás tu nivel de glucosa en sangre de los niveles prediabéticos a normales en un mes, reducirás tu presión arterial en dos meses y serás la persona más saludable de la ciudad en tres meses. Luego, a la mitad de la primera o segunda semana, te das cuenta de que estos objetivos son inalcanzables. Te desalientas y te rindes.

A pesar de mis ridículas exageraciones, sé sensato acerca de lo que estás tratando de lograr. Puedes perder una buena cantidad de peso en la primera y segunda semana, pero eso se debe en parte a que tu cuerpo se está descargando de agua, así que se realista con respecto a tus objetivos.

Comienza con objetivos razonables, pero no tengas miedo de reajustar. Por ejemplo, supongamos que estableces su objetivo de pérdida de peso de tres libras por semana, pero solo has perdido dos libras por semana en el primer mes. Esto no es un fracaso. Eso todavía es de ocho a diez libras que has arrojado. Celebra esto. No te desanimes. De todos modos, es casi imposible establecer objetivos precisos porque estás en un proceso de aprendizaje. Ajusta tus objetivos en consecuencia.

8. Quizás el ayuno intermitente no sea para ti.

Como deberías saber ahora, hay algunas personas que no deberían seguir un régimen de ayuno intermitente. Las mujeres embarazadas y los diabéticos tipo 1 son las primeras personas que me vienen a la mente.

Hay personas que tal vez no continúen con un estilo de vida de ayuno intermitente, y si lo has intentado y no has llegado a ninguna parte, tal vez eres uno de ellos. Quizás, por mucho que lo intentes, no puedas adaptarlo a tu estilo de vida. Tal vez trabajas en un entorno donde tienes pausas fijas y no tienes más remedio que comer porque esa es tu única oportunidad. Tal vez tienes compromisos familiares que también se interponen en el camino.

Estoy absolutamente convencido de que, debido a que se basa en procesos naturales dentro del cuerpo y porque, mucho antes de que llegaran las tres comidas al día y se aceptaran culturalmente, los períodos prolongados de no comer eran la norma, el ayuno intermitente podría beneficiar a casi cualquier persona. Pero no es una derrota decidir después de esforzarse que no es para ti. Así es la vida.

9. No estás tomando suficiente agua y líquidos.

Hay dos errores comunes cuando se trata de mantenerse hidratado y beber líquidos. La primera es olvidar tomar en cuenta los líquidos cuando se realiza un ayuno intermitente. Pero una lata de Coca-Cola estándar está cargada de azúcares. El té o el café con leche tiene calorías, grasas y proteínas que requieren digestión, más aún si agregas azúcar a tus bebidas calientes.

Durante un régimen de Ayuno Intermitente, cualquiera de estas bebidas romperá tu ayuno. Está perfectamente bien, es decir, es esencial beber agua, y está perfectamente bien beber café o té siempre que no esté endulzado y no contenga leche, crema o azúcar.

Solía tomar dos azúcares y crema en mi café antes del ayuno intermitente, y soy un poco fanático del café. Empecé a tomar café solo, y me sorprendió lo rápido que me acostumbré. Ahora no bebo nada más, y no tiene nada que ver con mi estilo de vida saludable. Es solo que prefiero el sabor.

El segundo error es, simplemente, no beber lo suficiente mientras ayunas. En cualquier forma de cambio en la dieta, particularmente una en la que ayunas o reduces las calorías, el agua se descarga a través de tu sistema más rápidamente. Pierdes parte del agua que retienes en tu cuerpo y, como la mayoría de los alimentos están compuestos en parte por agua, también pierdes parte de ese recurso.

Debes mantenerte hidratado en todo momento, posiblemente beber aún más, cuando estés en ayunas. Hay otros beneficios de beber muchos líquidos, ya que el líquido puede calmar los dolores de hambre. La deshidratación es algo que debe evitar en todo momento, pero debe ser especialmente consciente durante el proceso de ayuno.

10. Lo tratas como una dieta de tiempo limitado en lugar de un cambio de estilo de vida permanente.

Para aquellas personas que alguna vez han intentado perder peso con una "dieta", esto es algo así: tu decides que necesitas perder peso; incluso puedes decidir cuánto quieres perder. Después de aterrizar en tu método o dieta o régimen o como quieras llamarlo, tu decides la fecha en que comenzarás y te prepararás. Estoy casi avergonzado de admitir que parte de mi preparación implicaría rellenarme con chocolate y pizza la noche anterior a la fecha de inicio.

Comienzas en tu fecha específica lleno de optimismo y determinación. Algunos de ustedes lo encuentran demasiado difícil casi de inmediato y se quedan en el camino. Otros siguen adelante, impulsados por sus balanzas, que, durante las primeras semanas, muestran una pérdida de peso mejor de lo previsto.

Un par de semanas más tarde, esa pérdida de peso se ralentiza casi hasta gotear, y esto hace que tengan miedo de pisar la balanza porque saben que es probable que tengan el mismo peso que la semana anterior o hayan ganado la mitad una libra más o menos. Y luego está esa fiesta a la que van, y luego simplemente la dejan ir. Desanimados por la pérdida de peso y cansados del hambre, se dan por vencidos y se convencen de que volverán a hacerlo la próxima semana. Pero la próxima semana no llega, al menos en lo que respecta a la dieta.

Pero luego hay otros que siguen adelante y logran su objetivo. Se sienten eufóricos. Dos semanas después, suben a la balanza y han vuelto a subir siete libras, por lo que se dicen que deben volver a la dieta. Pero volver a la dieta es mucho más difícil la segunda vez. Y dentro de un mes, tal vez dos o tres, no solo han regresado a donde comenzaron, sino que han aumentado su peso. Todos esos sentimientos positivos desaparecieron en una nube de humo.

¿Alguno de estos escenarios te resulta familiar? Sé que lo son para mí. Si te reconoces en alguno de ellos, probablemente pienses que todo depende de ti y solo de ti. En tu cabeza, estás convencido de que la dieta falló debido a tu falta de fuerza de voluntad y fuerza.

Aquí es donde, desde una perspectiva puramente comercial, tienes que quitarte el sombrero ante la industria de la dieta. Venden un producto que no funciona para la mayoría de las personas, pero aceptan la falacia de que no es la dieta la que no funciona, sino las personas que siguen la dieta y su incapacidad para seguirla.

No digo que sea completamente responsabilidad de la industria de la dieta, pero es su modelo de negocio. Si sus dietas funcionan más efectivamente, ganarán menos dinero; Es un hecho simple. Pero puedes quitarle algo de responsabilidad a la industria de datos cambiando tu mentalidad.

Es una opinión general que la intervención dietética es un evento temporal y finito, que dura de una fecha específica a otra fecha específica y que una vez que hayas logrado tu objetivo, puedes detenerse y volver a tus antiguas costumbres. Pero es tu antiguo estilo de vida lo que lo metió en este lío en primer lugar.

Lo que necesitas para entender es la idea de que todo lo que hagas debe ser parte de un paquete de cosas dentro de tu vida y también un cambio permanente en tu estilo de vida. Sé que esto puede ser bastante desalentador porque lo que estás haciendo es cambiar los hábitos, y cambiar los hábitos es un gran desafío.

La mayor parte de nuestra vida se trata de hábitos y rituales porque esa es la forma en que funciona nuestro cerebro. Cuando formas hábitos, tu cerebro cambia para acomodarse y eventualmente adaptarse. Carga de neuronas. La sinapsis hace que las neuronas se conecten entre sí hasta que forman una especie de vía neurológica. Y cuando ocurren estos cambios, el cerebro se acostumbra a ellos y comienza a prepararte para continuar con un comportamiento familiar.

Cambiar los hábitos es, por lo tanto, un proceso doble. En primer lugar, se trata de dejar los viejos hábitos y permitir que esas vías y patrones neurológicos caigan en desuso. A tu cerebro no le gustará eso porque está preparado para un comportamiento familiar y habitual.

El paso 2 es formar nuevas vías neuronales a medida que adapta hábitos más nuevos y saludables. El proceso puede tardar entre uno y seis meses en iniciarse, y debes ser paciente contigo mismo. Aquí hay algunos consejos para cambiar los hábitos y permitir que tu régimen de Ayuno Intermitente florezca en tu cerebro.

Cómo cambiar tus hábitos

1. Identifíca hábitos poco útiles o poco saludables.

Hacer un cambio en el estilo de vida de la dieta es más que simplemente declarar que deseas comer más saludablemente o perder peso. Realmente vale la pena examinar tu comportamiento e identificar cosas específicas que haces en respuesta a estímulos externos que, a la larga, no son saludables para ti.

Tal vez cuando estás hablando por teléfono con un amigo en casa, te encuentras caminando de ida y vuelta al refrigerador, agarrando algo de comida y comiendo mientras hablas. Tal vez tienes un ritual de tener una barra de chocolate justo antes de salir de la casa por la mañana. Conozco a alguien que hacía esto todas las mañanas, y es tan saludable como un caballo de carreras. Lo hizo porque su madre solía darle un pequeño trozo de chocolate justo antes de irse a la escuela. ¿Ves cómo esos hábitos pueden ser difíciles de abandonar?

El hábito más grande para mí era comer de noche. No se trataba solo del hecho de que comía por la noche. Es el patrón que se había formado. En una buena noche, tomaba un par de refrigerios ligeros antes de acostarme, pero en una mala, podría comer constantemente durante una hora o incluso más. Sabía que era solo un hábito. No lo necesitaba, y si quería ser un intermitente exitoso más rápido, este era un hábito que necesitaba ser eliminado.

2. Pregúntate qué obtienes de tu comportamiento.

¿Cómo te sirve tu hábito? Está muy bien decidir que no te sirve de ninguna manera y es simplemente malo.

Volviendo a mi alimentación nocturna, supe casi mientras estaba en medio de eso, que no era bueno para mí, que tendría indigestión al día siguiente, que subiría de peso y que mis niveles de glucosa en sangre se plantearían como resultado.

Comía confortablemente. Utilizo esta frase no del modo que la gente podría asumir. No comía porque estaba estresado o solo, o sentía algún dolor emocional. Solo me gustaba hacerlo. Es tan simple como eso. Disfrutaba del proceso. Disfruté la comida (al menos fugazmente), y supongo que disfruté del secreto porque mi esposa y mis hijos estaban acostados en la cama profundamente dormidos.

Años atrás, solía salir hasta altas horas de la noche y comer cuando regresaba, y parecía que el hábito nació en ese momento. También esto retrasó el proceso de ir a la cama (otro hábito que había formado en ese entonces). Era comer con comodidad, porque hacer algo que has hecho durante años te hace sentir cómodo, como usar las mismas zapatillas. Así me parecía.

Una vez que descubres cómo son tus hábitos alimenticios, se vuelve más fácil desarrollar comportamientos alternativos que sean más saludables. Ahí es cuando llegamos a mi próximo consejo.

3. Elije nuevos hábitos más saludables.

Elije hábitos que realmente te hagan bien, tanto a corto, mediano y largo plazo, y no hábitos que simplemente se sientan bien cuando los estés haciendo. Es genial decidir que quieres cambiar algunos de tus hábitos inútiles, pero es aún mejor saber con qué los vas a reemplazar.

Si te encuentras bebiendo media botella de vino todas las noches antes de acostarte, establece qué es lo que reemplazará ese hábito. Tal vez puedas hacer uno de esos encantadores cafés esponjosos, siempre y cuando sea descafeinado y negro. O tal vez ponerte al día con la lectura, cualquier cosa que se ajuste a un estilo de vida saludable.

Si te encuentras frente al refrigerador, pensando en qué comer cuando estás hablando por teléfono solo porque es algo que siempre has hecho, la próxima vez que recibas una llamada telefónica, camina hacia la parte más alejada de la casa del refrigerador, camina por el jardín si tienes uno. Simplemente has cualquier cosa que rompa las viejas rutinas.

Para mí, estaba claro que mi alimentación estaba estrechamente relacionada con mi hábito de quedarme despierto hasta tarde, así que comencé a acostarme un poco antes. Ahora rara vez como después de las 10:00 p.m. Sé que es tarde para algunas personas, pero me conviene, y generalmente estoy en la cama a más tardar a las 11:00 p.m., que es hasta dos horas antes de lo que solía hacerlo. ¡He cambiado dos malos hábitos por el precio de uno!

4. Deshazte de los desencadenantes.

Si las galletas con chispas de chocolate son un desencadenante, deja de comprarlas. Si te encuentras comiendo en exceso durante tu programa de TV favorito, grábalo y míralo en el momento en que te sientas capaz de hacerlo sin comer en exceso. Si hay lugares o personas particulares con quienes tiendes a comer y beber en exceso, cambia a dónde vayas o cuándo vayas o intenta alentar a tu amigo a cambiar sus hábitos al hablar sobre tu régimen de ayuno intermitente. Si son buenos amigos, te apoyarán. Si no son verdaderos amigos, podría valer la pena quitar el gatillo, quitando a esos amigos.

5. Revisa continuamente tus objetivos.

Esto es particularmente útil si estás luchando por evitar tus viejos hábitos. Si tienes la tentación de comerte esos chocolates y tu objetivo es vivir más tiempo y poder jugar con tus hijos en el parque, piensa en esos objetivos y piensa si el chocolate cumple esos objetivos. Esto puede ser muy poderoso.

6. Ten en cuenta el diálogo interno negativo.

Todos somos fantásticos en el auto-sabotaje. Es casi como si tu cerebro se revelara a veces cuando intentas hacer cambios. ¿Por qué no debería? Al cerebro le gusta una vida fácil, así es como funciona. Entonces es posible que te escuches a ti mismo pensando o diciendo: "¿Cuál es el punto?" o "Estoy demasiado gordo" o "¿Por qué no te aceptas como eres?" Si tienes toneladas de sobrepeso, que así sea. (Este era uno de los míos).

Cuando te encuentres pensando en algo negativo, intenta reformularlo. En lugar de decir: "Estoy demasiado gordo", di: "Estoy en camino a estar saludable". Si dices: "Esto es demasiado difícil", reformula y en su lugar y di: "Me las arreglé para permanecer en este régimen durante una semana y me sentiré mejor".

7. No tengas miedo de dar pequeños pasos si es necesario.

Recuerda, en algunos casos, estás tratando de cambiar los hábitos y comportamientos que te han acompañado durante 10 años, 20 años, 30 años, incluso más. Como ejemplo, puedes reconocer la necesidad de hacer ejercicio, pero también acepta que no has hecho ejercicio durante dos décadas.

Bien, comienza con cinco minutos al día. Incluso eso ayuda. Después de dos semanas, muévete a diez minutos al día. Pequeños pasos. De esa manera, tu cerebro se acostumbra a hacer espacio para tus nuevos hábitos y tu nuevo estilo de vida.

8. Comprende y acepta que a veces fallarás.

Tus hábitos no cambiarán de la noche a la mañana. Ocasionalmente, puedes abandonar tu régimen de ayuno intermitente. Lo sé, lo he hecho. Si esto sucede, responde hacia ti con amabilidad y compasión, y al día siguiente, vuelve a subirte al carro. Porque si pasas demasiado tiempo y energía reprendiéndote a ti mismo cada vez que vacilas, es más probable que te des por vencido.

Debes saber que tus nuevos hábitos tomarán tiempo para asentarse. Los nuevos comportamientos pueden demorar semanas en establecerse en tu cerebro. Incluso entonces, el nuevo hábito estará luchando por llamar la atención sobre el anterior, por lo que es importante seguir practicando tu nuevo hábito tan a menudo como sea posible.

Capítulo 8: Alimentos Saludables, Alimentos No Saludables

Si observas la mayoría de los consejos dietéticos de organismos respetados como la Asociación Americana del Corazón o la Agencia de Medicamentos y Alimentación, generalmente recomiendan que comas una dieta equilibrada, pero ¿qué significa esto exactamente? ¿Qué es una dieta equilibrada?

A lo que generalmente se refieren los nutricionistas cuando usan el término "dieta equilibrada" es la relación entre los tres macronutrientes: grasas, carbohidratos y proteínas. Como ya se mencionó, el consejo prevaleciente durante los últimos cincuenta años se ha inclinado a favor de los carbohidratos, y la grasa se ha convertido en un problema particularmente crudo. Así que quiero discutir con más detalle el papel de cada macronutriente y el impacto de comer demasiado o muy poco.

Proteína

La proteína se descompone en varios aminoácidos, que ayudan a reparar el tejido dañado, crean tejidos y músculos nuevos y ayudan a formar anticuerpos. Las proteínas también se descomponen en enzimas que llevan a cabo millones de reacciones químicas que toman nuestras células cada segundo del día.

¿Qué sucede si tenemos pocas proteínas?

La deficiencia de proteínas puede provocar debilidad muscular, calambres y dolor. Las heridas tardan más en sanar y puede experimentar un deterioro de su sistema inmunitario. Hay que decir que la deficiencia de proteínas es prácticamente desconocida en los Estados Unidos.

¿Qué sucede si tenemos demasiadas proteínas?

Hay dietas como la dieta cavernícola y paleo que exhortan a comer un exceso de proteínas y también regímenes como la dieta Keto que se enfocan en las grasas, pero muchas de las grasas vienen con una porción considerable de proteínas.

Un exceso de proteínas puede conducir al aumento de peso, particularmente si las proteínas están reemplazando a los carbohidratos en la dieta. No se asocia con el aumento de peso si reemplaza la grasa, pero si favorece demasiado la proteína sobre la grasa, puede inducir la pérdida de masa muscular.

Estreñimiento. Las dietas altas en proteínas son generalmente bajas en fibra, por lo tanto, se produce estreñimiento. Esto se puede compensar fácilmente aumentando tu consumo de fibras y de agua.

Diarrea. Por el contrario, el consumo excesivo de lácteos o alimentos procesados, junto con una deficiencia de fibra en tu dieta, puede causar diarrea, especialmente si eres intolerante a la lactosa. Nuevamente, esto se puede evitar bebiendo mucha agua y evitando el café o cualquier bebida con cafeína, además de aumentar la ingesta de fibras. En los casos de estreñimiento y diarrea, ambos fenómenos son a corto plazo.

Deshidración. La deshidratación es algo que siempre debes tener en cuenta si estás a dieta o no. En el caso de una dieta alta en proteínas, se trata simplemente de aumentar el consumo de agua u otros líquidos.

Para cualquiera que desee probar una dieta alta en proteínas, si tiene una afección renal preexistente, entonces es mejor evitarla. Para las personas que no tienen ningún problema con sus riñones, no hay problemas, en lo que respecta a los riñones, en seguir una dieta alta en proteínas.

Grasa

La grasa es la energía de almacenamiento más importante en el cuerpo. Hay más grasa almacenada en los tejidos adiposos que glucosa o glucógeno en el hígado, y las proteínas no se almacenan en absoluto. Entonces, además de ser una fuente de combustible, la grasa ayuda a la absorción de vitaminas A, D, E y K, que son vitales para mantener la salud. También puede ayudar con la función cerebral. Aquí hay un hecho poco conocido: el 60% del cerebro está compuesto de grasa.

Finalmente, la grasa aísla al cuerpo contra las vicisitudes del frío y el calor extremos y también aumenta la saciedad.

¿Qué sucede si tenemos muy poca grasa?

Experimentamos un aumento en el hambre si la grasa es reemplazada por carbohidratos. Los niveles de glucosa en la sangre también se elevan, y los niveles de insulina aumentan, lo que lleva a un aumento en la resistencia a la insulina, lo que lleva al aumento de peso, diabetes y muchos otros horrores.

El principal problema con no tener suficiente grasa en tu dieta es por lo que se reemplaza. Muy poca grasa generalmente significa demasiados carbohidratos, y si la proporción de esos carbohidratos son azúcar o carbohidratos refinados, entonces es aún peor.

¿Qué sucede si tenemos demasiada grasa?

Voy a eludir las afirmaciones de que comer demasiada grasa causará colesterol alto y provocará enfermedades cardíacas porque la evidencia simplemente no existe para respaldar estas afirmaciones. Sin embargo, tener un exceso de grasa en tu dieta a expensas de todo lo demás no es deseable.

La mayoría de los nutricionistas dividen la grasa en dos campos: grasa buena y grasa mala. La grasa mala es la grasa saturada, del tipo que se encuentra en la manteca de cerdo o tocino. La grasa buena se llama insaturada (y que a su vez se divide en poliinsaturados y monoinsaturados). Un ejemplo son las grasas omega-3, que se pueden encontrar en muchos pescados. Insisto en que hay poca evidencia que sugiera que las grasas saturadas son un problema, pero supongamos que consumes grasas en exceso de cualquier tipo.

Si consumes más grasas de las que tu cuerpo necesita inmediatamente, aumentarás de peso porque la grasa se almacenará en el tejido adiposo, como ya se mencionó. Sin embargo, no estás atrapado y es posible que se queme más tarde. Eso es lo único que debe evitarse al elegir las proporciones de los tres macronutrientes.

Carbohidratos

Los carbohidratos, como los tres macronutrientes, también juegan un papel clave en el desarrollo del cuerpo. Proporciona al cuerpo energía inmediata, y también es la fuente de energía de referencia si tu dieta consiste en carbohidratos y grasas.

También proporcionan energía almacenada, aunque mucho menos que las grasas, ya que los carbohidratos se convierten en glucógeno y se almacenan principalmente en el hígado. Una forma particularmente saludable de carbohidratos en la dieta es la fibra. La fibra generalmente no se descompone en glucosa. En cambio, pasa a través del cuerpo sin digerirse y mejora la salud digestiva.

Sin embargo, debe decirse que el cuerpo tiene formas alternativas de llevar a cabo muchas de las funciones asociadas con los carbohidratos. Como combustible, hay un gran banco de grasas para recurrir, y aunque el cerebro utiliza principalmente la glucosa como una forma de energía, no tiene ningún problema con el uso de cetonas quemadas de la grasa. La fibra es muy saludable, pero solo porque, en su impacto mínimo sobre los niveles de insulina, emula la grasa. Si los carbohidratos se consumen en forma de mucha fibra, no tienen un efecto negativo tan grande sobre los niveles de glucosa en la sangre, ya que de todos modos sigue siendo fibra no digerida.

¿Qué sucede si comemos muy pocos carbohidratos?

Esta es una pregunta mucho más compleja de lo que parece al principio porque los carbohidratos mismos se pueden dividir en categorías.

Sin refinar. Estos son los más saludables porque no tienen un impacto tan grande en los niveles de glucosa en sangre. La fibra no está refinada y se puede encontrar en el pan integral y la pasta, las frutas y muchas otras fuentes.

Refinados. Los carbohidratos refinados tienen un impacto mucho mayor en los niveles de glucosa en la sangre y se pueden encontrar en comidas como la pasta, el pan blanco y las papas fritas.

Azúcar. Estrictamente hablando, el azúcar es un carbohidrato refinado, pero merece su propia categoría, debido a su efecto inmediato sobre los niveles de glucosa en la sangre y su inclinación a presionar el hígado.

No puedes comer menos carbohidratos sin consumir más proteínas y grasas. Por lo general, se sustituye la grasa, y si comes muy pocos carbohidratos, el cuerpo se ve obligado a usar la grasa como fuente de energía, y entras en cetosis.

En esencia, no se puede comer muy poco azúcar o carbohidratos refinados. Cuanto menos, mejor. Además, el impacto de muy poco de otros carbohidratos generalmente se compensa con grasas y proteínas. No hay efectos negativos importantes por comer muy pocos carbohidratos.

¿Qué sucede si comemos demasiados carbohidratos?

El efecto primario es un aumento en los niveles de glucosa en sangre, y cualquier otro impacto se deriva de esto: demasiada insulina en el torrente sanguíneo, aumento de peso, un aumento en los triglicéridos, un aumento en los LDL (lípidos de baja densidad) y un aumento de provabilidades de un ataque al corazón. La obesidad, la resistencia a la insulina y el síndrome metabólico son otras consecuencias. Todo esto proviene de una dieta rica en carbohidratos principalmente refinados.

Por lo tanto, generalmente hay efectos negativos cuando tu dieta se compone principalmente de demasiados macronutrientes, pero mucho más si esos macronutrientes son carbohidratos. Aquí es de donde proviene esta noción de dieta balanceada, pero el equilibrio tiene que ser ponderado de una forma u otra. También hay un gran factor a considerar.

Grasa y azúcar: el cóctel del infierno

La grasa y el azúcar son una combinación letal cuando se comen en exceso. Una dona por ejemplo, es alta en azúcar y grasa. Comer demasiado de estos tiene consecuencias riesgosas.

Cuando comes una dieta que contiene grandes cantidades de azúcar y grasa, esto es lo que sucede:

1. El azúcar se convierte en glucosa y llega al torrente sanguíneo o al glucógeno y se almacena en el hígado.

2. La grasa se descompone inmediatamente y se envía a las células de grasa para su almacenamiento. No hay un requisito inmediato para usarlo como energía porque hay un exceso de glucosa en el torrente sanguíneo.

3. Mientras tanto, el páncreas libera insulina para hacer frente a los niveles altos de glucosa en sangre.

4. Como ya se discutió, la insulina distorsiona el proceso de quema de grasa. La grasa queda atrapada en el tejido adiposo.

5. La grasa consumida no tiene a dónde ir.

6. El resultado es que una gran cantidad de grasa se convierte en un peso extra que tienes que cargar.

Moraleja: no mezcles grasa y azúcar en tu dieta. Mejor aún, evita el azúcar tanto como puedas.

¿Qué es, por lo tanto, una dieta equilibrada? Una regla práctica útil debería ser garantizar que la cantidad de proteínas y grasas en tu dieta exceda los carbohidratos. De hecho, no debes aspirar a que más de un tercio de tu consumo diario sean carbohidratos y el resto sea una mezcla de grasas y proteínas.

Entonces, 40% de grasa, 25% de proteínas y 35% de carbohidratos sería un punto de partida útil. De esa manera, evitarás los niveles elevados de glucosa en sangre.

Ahora, con el ayuno intermitente, me gustaría presentarte una forma potencial de mejorar la cantidad de grasa que quemas y aumentar tu sensibilidad a la insulina. Es algo que llamo el enfoque 5: 2 bajo en carbohidratos, que es simplemente una combinación de dos días de ayuno intermitente con dos días de reducción de carbohidratos a un nivel relativamente bajo.

Como se mencionó anteriormente, estoy en un régimen de Leangains, lo que significa que estoy en una forma de ayuno intermitente todos los días de la semana, que varía entre 12 y 18 horas. Para reiterar, en un período de siete días, un día es un ayuno de 12 horas, cuatro días son 16 horas y dos días son 18 horas. En los dos días de 18 horas, también introduje días extra bajos en carbohidratos.

Tiendo a no comer muchos carbohidratos de todos modos, pero en los días normales, comeré entre 50 y 100 gramos de carbohidratos, y solo un pequeño porcentaje será azúcar. En un día bajo en carbohidratos, lo reduzco aún más a entre 30 y 50 gramos. No sigo con las recomendaciones de 20 gramos de las dietas Atkins o Keto, y generalmente termino entre 30 y 40.

Al ayunar durante 18 horas, ya estaré quemando grasa y potencialmente en cetosis o muy cerca de ella. Para entonces, al consumir pocos carbohidratos y, por lo tanto, consumir alimentos que tienen una ausencia casi completa de azúcar, el impacto en mis niveles de glucosa en sangre es mínimo, y me quedo en modo de quema de grasa por más tiempo. Además, tengo la ventaja adicional de que la comida rica en grasas y proteínas tiende a llenarte más, por lo que no siento tanta hambre. A mí me funciona bastante bien. En días normales, simplemente vuelvo a comer mi cantidad habitual de carbohidratos.

Comida saludable

La siguiente lista de alimentos saludables y alimentos no saludables no es definitiva ni implica que debas evitar completamente los alimentos no saludables. Ningún alimento es insalubre de forma aislada y si se come de vez en cuando. Es la cantidad que comes lo que hace que los alimentos no sean saludables.

No te sorprenderá saber que el azúcar ocupa un lugar destacado en la lista de alimentos que debes evitar. Pero ocasionalmente, todavía disfruto de una barra de chocolate. Mi dieta solía incluir dos o tres refrigerios a base de chocolate al día, y ahora, podría tener uno cada dos semanas.

Me he referido al azúcar en este libro como un veneno. Creo que la cantidad de azúcar que solía comer (probablemente dos o tres veces más de lo que recomiendan los nutricionistas) significaba que el azúcar estaba actuando como un veneno para mi cuerpo, aunque sea lento. Es lo mismo con el alcohol. Beber galones de cerveza todos los días es malo para ti. El volumen puro hace que la cerveza actúe como un veneno. Beber un vaso pequeño una vez a la semana no es malo para ti de ninguna manera. El cuerpo absorbe el volumen de manera cómoda y fácil.

En resumen, lo que estoy diciendo es que los alimentos "poco saludables" están bien si los consumen en dosis pequeñas, demasiado pequeñas para causar algún daño.

Pero si te tomas en serio la pérdida de peso y te vuelves más saludable, debes hacer de los alimentos saludables los más destacados en tu plato y los alimentos no saludables serán las excepciones.

También voy a incluir alimentos con lo que llaman "una baja densidad de energía". "Densidad de energía" es el término utilizado para describir la cantidad de energía o calorías por gramo de alimento. Los alimentos de menor densidad energética son los que proporcionan menos calorías por gramo, lo que significa que puedes comer más y aun así disfrutar de un consumo relativamente bajo en calorías. Así que aquí vamos, una lista de opciones saludables.

Huevos. Con alto contenido de grasas y proteínas, los huevos han eliminado la mala prensa que solían tener y ahora son reconocidos como uno de los alimentos más saludables. Ayudan a perder peso y promueven la saciedad.

Salmón. El salmón está lleno de proteínas y grasas omega-3 y suple muchas de nuestras necesidades de yodo, lo cual es necesario para la función tiroidea adecuada. La glándula tiroides juega un papel importante para mantener su sistema metabólico óptimo. El Omega-3 reduce la inflamación. El salmón es solo un ejemplo de un pescado sano y graso. Otros incluyen caballa, trucha, arenque y sardinas.

Verduras de hoja verde. Estamos hablando de col rizada, espinacas, col y lechuga. Las verduras de hoja verde son bajas en calorías y están llenas de fibra. También te hacen sentir lleno, sin consumir muchas calorías. Contienen muchas vitaminas, antioxidantes y minerales, por lo que también son muy nutritivas. Finalmente, las verduras de hoja verde contienen calcio, que puede ayudar a quemar grasa. ¡Agradable!

Carnes magras. Incluyen carne magra y pechugas de pollo. La carne es uno de esos alimentos que se ha relacionado con varios problemas de salud a pesar de las evidencias bastante bajas. La carne procesada ha sido la más demonizada, pero los estudios muestran que la carne sin procesar, incluso la carne roja, no tiene ningún impacto en la enfermedad cardíaca o la diabetes.

Alta en grasas y proteínas, la carne te ayuda a perder peso. Te hace sentir lleno y, por lo tanto, no consumes demasiado. En mi opinión, no hay nada de malo en comer carnes grasas como el tocino, pero si insistes en comer carne magra, entonces eso es lo suficientemente justo.

Vegetales crucíferos. Estamos hablando de brócoli, coliflor, repollo y coles de Bruselas. Esta es la información concreta: estos son mis alimentos menos favoritos en el mundo. ¡Siento náuseas al escribirlas! Peor aún, vivo en una familia de otras tres personas que aman las verduras crucíferas.

Así que no me escuches, escucha la evidencia. Las verduras crucíferas están llenas de fibra y son muy abundantes, y también tienen la ventaja añadida de contener una cantidad razonable de proteínas, ni mucho menos como un pedazo de carne o pollo, pero lo suficiente como para marcar la diferencia. Son adiciones increíblemente saludables a tu plato.

Atún. El atún es bajo en calorías y alto en proteínas, pero a diferencia del salmón, también es bajo en grasas. Si quieres más proteínas en tu dieta, el atún es el pescado para ti. Si lo comes de una lata, asegúrate de que esté en agua y no en aceite, que está lleno de grasa. Insisto en que la grasa no tiene nada de malo, pero el atún es un pez que es popular entre los culturistas debido a su composición proteica.

Sopas. No estoy hablando necesariamente de las latas de sopa que puedes comprar en los supermercados. Ten cuidado con eso porque algunas de ellas pueden ser muy ricas en azúcar. Pero con muchos alimentos, especialmente algunas de las verduras crucíferas y de hoja, puedes agregar agua para convertirlas en una sopa, lo que disminuye su densidad de energía. Entonces puedes tener mucho. El consenso es que comer alimentos convertidos en sopa, en lugar de ingerirlos en forma sólida, hace que las personas se sientan más llenas y, por lo tanto, comen significativamente menos calorías.

Frijoles y legumbres. Esto incluye lentejas, frijoles negros y frijoles; en realidad, cualquier tipo de frijoles, excepto frijoles horneados, que son ricos en azúcar. Con alto contenido de proteínas y fibra, pueden ser muy saludables. Tienen una pequeña cantidad de carbohidratos, pero no hay nada que destacar. Si deseas incluir una pequeña cantidad de carbohidratos saludables en tu dieta, los frijoles o las legumbres son una excelente opción.

Aguacates. Único en el mundo de las frutas, la mayoría de las cuales son ricas en carbohidratos, específicamente azúcar natural. Por el contrario, los aguacates son ricos en grasas monoinsaturadas. También contienen mucha agua y fibra, lo que disminuye su densidad de energía. También son sabrosos y ayudan a que las ensaladas de verduras sean más sabrosas. Finalmente, los aguacates están repletos de vitaminas y minerales.

Nueces. Las nueces son una excelente merienda. Con alto contenido de proteínas y grasas saludables, también contienen fibra y se ha demostrado que aumentan la tasa metabólica. Se comen mejor como bocadillo o una pequeña porción. Son bastante altas en calorías.

Granos enteros. Esto incluye alimentos como avena, arroz integral, quinua, cebada, trigo sarraceno y bulgur. También puedes obtener versiones integrales de pan y pasta. Si sigues una dieta muy baja en carbohidratos, como las primeras etapas de Atkins o Keto, entonces es mejor evitarlas, pero si está comiendo carbohidratos en un grado saludable, los granos integrales son una excelente opción.

Semillas de chia. Se dice que las semillas de chía son uno de los alimentos más nutritivos. Debido a su alto contenido de fibra, absorben una gran cantidad de agua mientras están en el estómago, haciendo que una porción de semillas de chía te llene increíblemente.

Yogur sin grasa y sin azúcar. Ciertos tipos de yogur sin grasa y sin azúcar, contienen bacterias probióticas, y aunque los estudios están en curso, parece probable que las bacterias probióticas sean buenas para el estómago y la función intestinal. Además, los yogures con mucha grasa están asociados con un menor riesgo de diabetes y obesidad, mientras que los yogures con poca grasa, generalmente cargados de azúcar, tienen el efecto contrario.

Papas hervidas. Puede sorprenderse con esta entrada en esta lista. Las papas tienen un alto contenido de carbohidratos y, en consecuencia, tienen un impacto medio a alto en los niveles de glucosa en sangre, por lo que pueden no ser adecuadas para los diabéticos tipo 2. Pero son nutritivas, contienen altas cantidades de potasio, que desempeña un papel importante en el control de la presión arterial y vitamina C.

Pero la razón principal por la que los incluyo en esta lista es que obtienen el puntaje más alto en algo llamado índice de saciedad, que mide el nivel de sensación de saciedad de los alimentos. Las papas hervidas son el número uno.

Serían una parte saludable y abundante de tu cantidad de carbohidratos. Además, si dejas que las papas se enfríen completamente después de que se hayan cocinado, forman algo llamado almidón resistente. Este almidón mejora la sensibilidad a la insulina y reduce los niveles de glucosa en la sangre y puede desempeñar un papel útil en la alimentación saludable.

Alimentos que deben evitarse

Azúcar. No te sorprenderá saber que este es el número uno en la lista. Lo que se incluye aquí son bebidas azucaradas, como refrescos, la mayoría de los cereales para el desayuno, té y café con sabor, bebidas energéticas o deportivas, yogur bajo en grasa, pizza congelada, salsa de tomate, salsa de barbacoa, aderezo para ensaladas, galletas, sopas listas para comer, frutas secas y enlatadas, barras de granola, pan blanco, pasteles, rosquillas, bagels, churros y té helado.

Hay mucho allí, pero esta lista no es definitiva. El secreto es verificar el contenido de azúcar en las etiquetas. No es imposible evitar el azúcar agregada en una tienda de supermercado normal, por lo que deberías hacerlo.

Trata de no consumir más de nueve cucharaditas de azúcar por día si eres hombre y seis si eres mujer. Eso equivale a 36 gramos o 150 calorías para los hombres o 24 gramos y 100 calorías para las mujeres. Tiendo a consumir menos que eso cuando puedo.

Mira cuán engañoso es el azúcar. Es baja en calorías, pero altera fundamentalmente la forma en que funciona su metabolismo. Vale la pena arrojar más luz sobre algunos de los artículos más populares en la lista anterior.

Pan blanco. Además del azúcar, el pan blanco es rico en carbohidratos refinados y también alto en el índice glucémico. Tiene un impacto significativo en el aumento de los niveles de glucosa en sangre. Si amas tu pan, elige opciones integrales.

Barras de caramelo. Estos son ricos en azúcar y grasa, el cóctel letal para una buena nutrición.

Jugos de fruta. Los jugos de frutas comprados en los supermercados son altamente procesados. El jugo de naranja contiene tanta azúcar como la Coca-Cola y, a diferencia de una naranja real, no tiene fibra. Merece una mención especial porque se comercializa como una opción saludable, y es todo lo contrario.

Pasteles y galletas. Este es otro grupo de alimentos que contienen azúcar y grasa, además de una gran cantidad de carbohidratos refinados y cero fibras. Los pasteles y las galletas son increíblemente altos en calorías, pero bajos en el índice de saciedad. ¿Necesito decir más?

Cerveza y otros tipos de alcohol. Beber alcohol con moderación, parece no tener un impacto inmediato en el aumento de peso. Beber en exceso lo hace, y está asociado con una serie de otras condiciones también. Beber cerveza, incluso con moderación, puede inducir un aumento de peso porque contiene mucha azúcar. Otro problema incluso con cantidades moderadas de alcohol es que debilita la resistencia.

Helado. Helado, ¡oh, ¡cómo te extraño! Es delicioso y poco saludable, repleto de azúcar y grasa, y alto en calorías. El helado también tiene un puntaje bajo en la tabla de saciedad, lo que significa que comes mucho antes de sentirte lleno. Es una delicia una vez cada tanto en el mejor de los casos.

Pizzas. No estoy hablando de pizzas caseras hechas con granos enteros y aderezos saludables. Estoy hablando más sobre las pizzas preparadas disponibles en los supermercados que están llenas de carbohidratos refinados, grasas y carne procesada. Esto puede incluir también pizzerías para llevar. Vale la pena preguntarles por sus ingredientes.

Café y té. Una taza de café negro o té en régimen de ayuno intermitente está absolutamente bien. Agregue crema o leche y azúcar a la mezcla, y se vuelve alta en calorías y azúcar. No vale la pena.

Todo lo demás

He destacado los mejores y los peores alimentos para perder peso y estar saludable con un régimen de Ayuno Intermitente.

¿Qué pasa con la fruta, te escucho preguntar? ¿Qué hay de la pasta? O cerdo? Una vez más, he tratado de resaltar lo mejor y lo peor, pero se justifica una breve discusión sobre la carne y la fruta.

Toda la carne suele ser rica en proteínas o grasas o ambas. Pero no coma carnes procesadas porque el proceso de conservación agrega productos químicos que se han relacionado tenuemente con el cáncer.

La fruta en realidad está llena de azúcar, y aunque es azúcar natural, puede tener un efecto nocivo en los niveles de glucosa en sangre, lo que mitiga la fruta es su gran variabilidad y el hecho de que está llena de fibra.

Por ejemplo, una manzana contiene 10 gramos de azúcar, pero también contiene 2,4 gramos de fibra dietética, que, en cierta medida, compensa el azúcar. Lo mismo se aplica a una naranja, que contiene la misma cantidad de fibra que una manzana, pero un poco menos de azúcar, 9 gramos.

El punto aquí no es sobre fruta o carne. El punto aquí eres tú. Debes conocer todo lo que te llevas a la boca. Debes tomarte un tiempo para revisar las etiquetas y comprender lo que dicen, especialmente prestando atención a la cantidad de azúcar que contienen.

Si has decidido que obtendrás un tercio de tus calorías de los carbohidratos, entonces cualquier alimento está bien y la fruta está bien. Si también estás limitando tu consumo de azúcar, teng en cuenta que una manzana constituirá más de una cuarta parte de tu cantidad diaria de azúcar, si eres hombre.

También puedes leer mucho sobre cómo es el azúcar natural en la fruta, en lugar de refinado, que supongo que se llamaría azúcar no natural. Desafortunadamente, el hígado no puede diferenciarlas. La gran ventaja de los azúcares naturales (es decir, los azúcares contenidos en las frutas) es que generalmente se acompaña de un elemento de fibra, y esto ralentiza el proceso digestivo, lo que disminuye su impacto en los niveles de glucosa en sangre.

Conclusión

La historia de Laura

Tengo 33 años. Me casé cuando tenía 20. Tengo tres hermosos hijos, pero mi pareja y yo nos separamos hace tres años. Me gusta mirar el álbum de mi boda porque me veo muy fresca e inocente. ¡Y delgada! Si tratara de ponerme ese vestido de novia ahora, lo rasgaría. En el transcurso de 10 años, mi peso se incrementó en siete u ocho libras al año, sigilosamente, como un ninja.

He probado tantas dietas que he olvidado la mayoría de ellas. Ninguna de ellos funcionó, ni siquiera un poco. Bueno, eso no es estrictamente cierto. Probé la dieta Atkins una vez y bajé 14 libras, pero seis meses después de que terminé, recuperé 21 libras.

A pesar de todo, me he mantenido razonablemente activa. Me gusta caminar, aunque con el peso extra, me resultó un poco más difícil. Hace dieciocho meses, probé algo llamado Leangains. El ayuno intermitente es como la mayoría de la gente lo llama. Si soy sincera, pensé que sonaba un poco estúpido, pero como había probado cualquier otro tipo de dieta, ¿por qué no probar esta también?

Decidí comenzar lentamente e hice ayunos de 12 horas durante tres días a la semana. Incluso entonces, mi progreso fue lento pero constante. Pronto lo convertí en algo cotidiano. Fue bastante fácil incorporarlo a mi vida. Finalmente, me decidí por 16 horas. Mientras tanto, probé ayunos más largos, y también probé ayunos de días alternos, lo que encontré mucho más difícil.

Descubrí que ayunar durante 16 horas era mi límite. Dejé de cenar porque había escuchado en alguna parte que comer lo más temprano posible antes de acostarse ayuda a perder peso.

Por primera vez, comencé a pensar en mis elecciones de comida. Poco a poco, casi inconscientemente, comencé a reemplazar algunas de mis elecciones más desafortunadas con opciones más saludables. Realmente reduje los pasteles también, mi debilidad.

Cuando me casé hace 13 años, pesaba exactamente 139 libras. Hace tres años (10 años después de mi boda), ¡tenía 196 libras!

Dieciocho meses después, y he perdido 35 libras. Me siento mejor y creo que también me veo mejor. Lo siento si eso suena superficial, pero por primera vez en mucho tiempo, me siento muy bien con mi aspecto.

Mi confianza ha vuelto. Cuanto más pesada me puse, más tímida me puse. Evitaba los eventos sociales e intenté evitar salir.

Ahora me encanta salir casi tanto como a pasear por el campo con mis hijos.

Pero para ser honesta, estoy en una encrucijada. Mi pérdida de peso se ha ralentizado y casi se detuvo. Todavía estoy feliz porque estoy tan acostumbrada al ayuno intermitente que no he vuelto a subir de peso. He mantenido mi peso, y eso es un triunfo.

Pero quiero hacer algo con las últimas 20 libras. Sé que ya no tengo 20 años, y sé que perder 20 libras no es el fin del mundo, pero me gustaría perder al menos 10. Así que últimamente, he estado buscando otras opciones. Las dos que me parecen buenas son 18: 6 (realmente siento que no podría manejar más que eso en un día) o ADA nuevamente.

La próxima semana, intentaré agregar un día de ADA y ver qué pasa. Si puedo administrarlo (y estoy realmente decidida a hacerlo), intentaré dos días de ADA, y si puedo administrar eso, podría tirar un día adicional y convertirlo en un plan ADA completo. Espero poder decirle a la gente que he perdido esas 10 libras adicionales algún día. Fin.

***

En este libro, he intentado proporcionar una visión detallada de la ciencia detrás del ayuno intermitente (y la dieta en general), los regímenes específicos que puedes probar y el ayuno intermitente como parte de un estilo de vida saludable.

Lo que no he podido proporcionar es evidencia irrefutable de que el Ayuno Intermitente es el mejor y único enfoque a seguir. Espero haberte dado una idea de cuán complicada es la ciencia de la nutrición.

He compartido con ustedes una pequeña fracción de las dietas ridículas que los llamados nutricionistas han impuesto a un público desesperado por obtener información sólida sobre la alimentación saludable y la pérdida de peso. Muchas, si no la mayoría, de estas dietas no tienen casi nada que ver con la ciencia, nada que ver con las grasas. El ayuno intermitente no tiene nada en común con ellas porque se basa en una combinación de ciencia sólida, biología natural y evidencia anecdótica. Estrictamente hablando, el Ayuno Intermitente no es una "dieta". Es un cambio de estilo de vida.

Gran parte de los consejos nutricionales disponibles en la actualidad no se basan en la evidencia. Más bien, es una selección de los estudios disponibles para aterrizar en un método que los nutricionistas que defienden las dietas ya creen.

¿Todavía crees que la pérdida de peso es simplemente una cuestión de comer menos calorías de las que quemas en un día? Si es así, la evidencia que buscarás respaldará tus creencias. ¿Crees que deberíamos comer como nuestros antepasados porque así es como se desarrollaron nuestros cuerpos? No hay problema, sesga tus búsquedas en esa dirección, y ahí está la evidencia. En cuanto a mí, solo soy una persona, pero creo que mi experiencia es relevante.

He intentado una gran cantidad de dietas en los últimos 20-30 años. Al menos la mitad de los cuales falló al instante. Con la mayoría de las otras dietas, sí, perdí peso en las primeras una o dos semanas, pero dos meses después, volví a donde comencé y, en algunos casos, había aumentado más de peso.

Hubo una pequeña selección de las dietas que tuvieron un poco más de éxito, ya que perdí una buena cantidad de peso en el transcurso de tres a seis meses. Desafortunadamente, unos meses después de haber terminado con las dietas, el peso se había acumulado de nuevo.

He intentado reducir calorías, hacer ejercicio como un demonio, dietas proteicas, dietas bajas en carbohidratos y sin carbohidratos y dietas bajas en grasas y sin grasas. He contado pecados y acumulado puntos y todas esas cosas. El éxito limitado que disfruté provino de la reducción de carbohidratos, así que hice una gran investigación al respecto. Y el peso todavía se acumulaba.

Entonces, sí, soy sólo una persona, pero esta persona se ha sorprendido por el peso que perdió mientras ayunaba de forma intermitente. Me sorprendió la velocidad con la que bajé y, lo más importante, mi capacidad para mantenerlo. Y lo hice usando un método que es fácil de resolver.

En mi opinión, el ayuno intermitente es uno de los conceptos más simples y efectivos en el mundo de la nutrición en la actualidad.

Los principios del Ayuno Intermitente tienen mucho sentido. El hábito de comer frecuentemente durante el día es, biológicamente hablando, completamente nuevo. Podemos extraer evidencia de la historia, la paleontología y la biología de que los seres humanos, solo comimos una vez al día durante decenas de miles de años y que nuestros cuerpos evolucionaron para hacer frente a eso. También podemos citar evidencia del resto del reino animal. La mayoría de los animales salvajes carnívoros también solo comen una vez al día. El único grupo de animales que comen más de una vez al día son domesticados y pueden comer cuando sus dueños los alimentan.

Pero mira al león. Los leones viven en manadas de unos 15 animales, principalmente hembras, dos o tres machos, más cachorros. Dato curioso: las leonas hacen el 90 % de la caza y dan muerte de sus presas. Cazan durante tres o cuatro horas al día o hasta que han atrapado suficientes presas para su orgullo.

Una vez que termina la caza, la comida se come en el transcurso de un par de horas, y el resto del día se pasa descansando y durmiendo. Este patrón de comportamiento de comer solo una vez al día se puede ver una y otra vez entre los animales carnívoros.

Además, no hay evidencia disponible de que comer tres comidas al día (o más si incluye refrigerios) brinde algún beneficio a los humanos. Este patrón de alimentación mantiene altos los niveles de glucosa en la sangre, y eso es menos un beneficio y más una maldición. Comemos muy a menudo por razones culturales, no biológicas.

Por lo tanto, la idea de que es beneficioso para nuestros cuerpos comer menos de tres o cuatro veces al día (para que el cuerpo descanse de la digestión de los alimentos y permita que continúe con el proceso de limpieza a nivel celular, quemando grasa y fortalecer nuestro sistema inmunológico) y poder hacerlo sin desviar recursos para hacer frente a los refrigerios es fascinante y tiene sentido biológico.

No digo que debas basar tu régimen de alimentación en algo, sólo porque digo que tiene sentido. También podría argumentar fácilmente que la teoría de la pérdida de peso de "calorías entrantes, calorías salientes" también tiene sentido, pero hay una gran diferencia. No hay ciencia que valide "calorías entrantes, calorías salientes", pero la ciencia y la evidencia detrás del ayuno intermitente, aunque no es tan exhaustiva como nos gustaría, al menos hasta que se completen otros estudios, todas apuntan a la misma dirección: que el ayuno intermitente ayuda a perder peso, nos hace sentir mejor y nos impide morir temprano por afecciones relacionadas con el estilo de vida.

Por lo tanto, podemos utilizar todos estos datos para ayudarnos a tomar una decisión, y los datos muestran que el ayuno intermitente utiliza procesos naturales dentro de nuestro cuerpo que se han desarrollado durante decenas de miles de años para ayudarnos a estar más saludables. Funciona con nuestros cuerpos y no contra ellos para brindar beneficios.

La autofagia es natural. La cetosis es natural. Usar más grasa como fuente de energía es natural. Armado con estos datos, creo que es extremadamente seguro decir que el ayuno intermitente puede hacernos más saludables, puede ayudarnos a perder peso y, sí, puede ayudarnos a vivir más tiempo.

Yo diría eso, ¿no? ¡Sí, porque funciona para mí!

Quién sabe, tal vez dentro de 20 años, sabremos más. ¡Tal vez la nueva información muestre que debemos comer 12 veces al día por hora!

Si la evidencia lo demuestra, es justo. Sin embargo, la razón por la que no creo que esto ocurra, es simplemente por los niveles de glucosa en sangre, uno de los factores más importantes en la regulación de nuestro peso. En este libro, he escrito en gran detalle sobre cómo comer regularmente, particularmente los carbohidratos refinados, aumenta los niveles de glucosa en la sangre. También he discutido cómo esto aumenta la producción de insulina que fluye a través del torrente sanguíneo.

No es solo la naturaleza ácida de los niveles de glucosa en la sangre lo que causa estragos en las terminaciones de nuestros sistemas internos y contribuye directamente a las amputaciones. También son los efectos dañinos de tener un exceso de insulina corriendo por nuestro cuerpo. Pero la insulina no es un villano (no hay villanos, ¿recuerdas?).

Además de los carbohidratos altos, algo más está distorsionando su producción, y es comer tantas veces durante un día normal y no permitir que el cuerpo se cure y use sus procesos naturales. Demasiada insulina es una consecuencia de comer demasiado, comer a horas regulares y comer cosas incorrectas. El ayuno intermitente se encarga de al menos dos de estos problemas.

El concepto de resistencia y sensibilidad a la insulina solo se descubrió en 1984. Sin embargo, desde entonces, han habido una avalancha de investigaciones, tanto en animales como en seres humanos, todas validando las razones por las que tenemos demasiada insulina en nuestro torrente sanguíneo. Ahora esto es un hecho.

Este conocimiento relativamente nuevo ha cambiado fundamentalmente nuestra noción de una alimentación saludable, y es por eso que el ayuno intermitente se ha vuelto tan popular. Nuestro conocimiento de la insulina incluso ha cambiado el enfoque médico para ayudar a los diabéticos tipo 2. Hasta el descubrimiento de la resistencia y sensibilidad a la insulina, se pensaba que la diabetes tipo 2 era incurable, y gracias a un enfoque que incluye el ayuno intermitente, ahora sabemos que simplemente no es el caso.

Realmente espero que este libro te haya dado las herramientas y la información que necesitas probar por ti mismo porque una de las otras cosas sobre el régimen de ayuno intermitente, es que es una de las intervenciones más seguras. Tiene mucho sentido consultar a tu médico antes de intentar cualquier cambio en la dieta, pero no hay evidencia que indique que alguien haya sido perjudicado al intentar un ayuno intermitente.

Ve a por ello. Si yo fuera tú, comenzaría con suavidad, pero también si te sientes más capaz de esforzarte un poco más, inténtalo. ¿Qué puedes perder? La respuesta a esa pregunta es bastante fácil: ¡tu exceso de peso! ¿Qué tienes que ganar? Un cuerpo más sano, una mente más sana y una vida más larga. Buena suerte!

Referencias

Arnarson, A. (07 de Marzo 2019,). Papas 101: Información nutricional y efectos sobre la salud. Fuente: https://www.healthline.com/nutrition/foods/potatoes

Avena, N. M., Rada, P., & Hoebel, B. G. (Marzo 2009). Los atracones de azúcar y grasa tienen diferencias notables en el comportamiento adictivo. Fuente: https://www.ncbi.nlm.nih.gov/pmc/articles/PMC2714381/

Bezold, C., Krohe, S., Rowley, W. (01 de Febrero 2017) Diabetes 2030: Perspectivas de ayer, hoy y tendencias futuras. Fuente: www.ncbi.nlm.nih.gov

Biswas, C. (01 de Mayo 2019). 20 alimentos a evitar, altos en azucar. Fuente: https://www.stylecraze.com/articles/foods-high-in-sugar-to-avoid/

Blog, A. R. (01 de Enero 1970). Azúcares naturales vs. Azúcares refiandas: Cual es la diferencia? Fuente: https://ankhrahhq.blogspot.com/2018/07/natural-vs-refined-sugars-whats.html

Calabrese, E, Mattson, M. (2017). ¿Cómo impacta la hormesis en biología, toxicología y medicina? Fuente: www.nature.com

Chander, R. (14 de Septiembre 2018). Intenté el ayuno extremo comiendo una vez al día – esto es lo que ocurrió. Fuente:

https://www.healthline.com/health/food-nutrition/one-meal-a-day-diet

Chavi, C. (5 de Julio 2017). Serie de mitos y hechos (parte 1): El desayuno es la comida más importante del día. Fuente: www.daytwo.com

Coon, P., Goldberg, A., Pratley, R., Rogus, E. (Abril 1995). Efectos de la pérdida de peso sobre los niveles de noradrenalina e insulina en hombres mayores obesos. Fuente: https://ncbi.nlm.nih.gov

Deutsches Zentrum Fuer Diabetesforschung DZD (2 de Julio 2019). Enfoque prometedor: prevenir la diabetes con el ayuno intermitente. Fuente: www.sciencedaily.com/releases/2019/07/1902702152749.htm

Diabetes esperanza de vida (s.f.). Fuente: https://www.diabetes.co.uk/diabetes-life-expectancy.html

Eirik (24 de Marzo 2017). Ayuno intermitente: ¿El patrón de alimentación predeterminado para el Homo sapiens? Fuente: www.darwinian-medicine.com

Fisher, D. (s.f.). ¿Qué es la densidad de energía? Fuente: https://www.nutrition.org.uk/healthyliving/fuller/what-is-energy-density.html

Fisher (27 de Mayo 2016). ¿Adiós a la prueba de colesterol en ayunas?Fuente:

https://www.health.harvard.edu/blog/farewell-fasting-cholesterol-test-201606169784

Flam, F. (20 de Marzo 2018,). El caso contra el conteo de calorías. Fuente: www.bloomberg.com

Gillaspy, R. (s.f.). La importancia de los carbohidratos: funciones e impacto de la deficiencia. Fuente: https://study.com/academy/lesson/the-importance-of-carbohydrates-functions-impact-of-deficiency.html

Graber, C., Twilley, N. (30 de Enero 2018). Los antiguos orígenes de la dieta. Fuente: www.theatlantic.com

Gunnars, K. (16 de Agosto 2016). 10 beneficios para la salud basados en la evidencia del ayuno intermitente. Fuente: https://www.healthline.com/nutrition/10-health-benefits-of-intermittent

Gunnars, K. (03 de Julio 2018). Almidón resistente 101: todo lo que necesitas saber. Fuente de: 17 de Julio 2019 https://www.healthline.com/nutrition/resistant-starch-101

Gunnars, K. (11 Junio 2018). Los 20 alimentos más amigables para la pérdida de peso en el planeta. Fuente: https://www.healthline.com/nutrition/20-most-weight-loss-friendly-foods

Harvie, M., Howell, T. (Julio 2016). ¿Podría la restricción de energía intermitente y el ayuno intermitente reducir las tasas de cáncer en sujetos obesos, con sobrepeso y de peso normal? Un resumen de la evidencia. Fuente: www.ncbi.nlm.nih.gov

Jacob, A. (31 de Junio 2019). Puedes quemar grasas sin entrar en Cetosis? Fuente: https://www.livestrong.com/article/510136-can-you-burn-fat-without-being-in-ketosis/

Jarreau, P. (26 de Febrero 2019). Los 5 estados del ayuno intermitente. Fuente: https://lifeapps.io

Jephcote, B. (9 de Junio 2018). Pérdida de insulina y leptina necesarias para quemar grasa. Fuente: https://www.diabetes.co.uk/news/2018/jan/drop-in-both-insulin-and-leptin-needed-for-fat-burning-to-occur-90969878.html

Kandola, A. (7 de Noviembre 2018). ¿Cuáles son los beneficios del Ayuno Intetmitente? Fuente: www.medicalnewstoday.com

Klappenbach, L. (15 de Enero 2019). ¿Qué es un orgullo de león? Fuente de 17 de Julio 2019: https://www.thoughtco.com/what-is-a-lion-pride-130300

Krans, B. (16 de Febrero 2016). Dieta Balanceada: ¿Que es y cómo conseguirla? Fuente: https://www.healthline.com/health/balanced-diet

Leonard, J. (31 de Octubre 2018). ¿Cuales son los signos de la Cetosis? Fuente: www.medicalnewstoday.com

Martin, L. (11 de Marzo 2010). Hechos acerca de la leptina. Fuente: www.webmd.com

Mayo Clinic Staff. (Mayo 2019). Hormona del Crecimiento (HGH): Ralentiza el envejecimiento? Fuente: www.mayoclinic.org

Minger, D. (27 de Diciembre 2011). La verdad acerca de Ancel Keys: Todos estamos equivocados. Fuente: www.deniseminger.com

Norman, J. (03 de Febrero 2016).Regulación normal de la glucosa en sangre. Fuente: https://www.endocrineweb.com/conditions/diabetes/normal-regulation-blood-glucose

Olson, M. (8 de Marzo 2015). Cómo 3 comidas al día se convirtieron en la regla, y por qué deberíamos comer siempre que tengamos hambre. Fuente: www.medicaldaily.com

Palsdottir, H. (3 de Julio 2017). 11 alimentos para evitar al tratar de perder peso. Fuente: https://www.healthline.com/nutrition/11-foods-to-avoid-for-weight-loss

Patterson, R., Sears, D. (17 de Julio 2017). Efectos metabólicos sobre el ayuno intermitente. Fuente: www.annualreviews.org

Shah, A. (s.f.). El ayuno intermitente puede curar el intestino y calmar la inflamación: así es exactamente cómo. Fuente: www.mindbodygreen.com

Estadísticas sobre diabetes (22 de Marzo 2018). Fuente: www.diabetes.org

Taubes, G. (2009). El engaño de la dieta. London: Vermilion.

Vanderschelden, M. (2016). El enfoque científico del ayuno intermitente: descubra cómo un simple cambio de estilo de vida puede transformar completamente su salud y su vida.

WebMD.com (6 de Febrero 2019). ¿Puedes contraer cetoacidosis si no tienes diabetes? Fuente: www.webmd.com

¿Qué son las cetonas? (11 de Diciembre 2018). Fuente: https://www.webmd.com/diabetes/qa/what-are-ketones

Qué es la cetoacidosis? (2019, February 06). Fuente: www.webmd.com

Wikipedia (16 de Julio 2019). Diabetes Tipo 2. Fuente: https://en.wikipedia.org/w/index.php?title=Type_2_diabetes&oldid=906589486

Wikipedia (7 de Julio 2019). Pancreas. Fuente: https://en.wikipedia.org/w/index.php?title=Pancreas&oldid=905254041

Wikipedia (s.f.). Historia del Desayuno. Fuente: www.wikipedia.org

Printed in Great Britain
by Amazon

45180871R00149